ビッグ・ファット・キャットの
世界一簡単な英語の本

梅光学院大学
英文学科教授 **向山淳子** + **向山貴彦** with studio ET CETERA

絵=たかしまてつを

幻冬舎

今度こそ大丈夫。

はじめに
その前にまず本当のことを

　みなさん、はじめまして。
　私は向山淳子といいます。山口県下関市の大学で、英語を教えるのが私の仕事です。今までに、延べ千人以上の学生をアメリカに正規の留学生として送り出してきました。英語を教えた人数となれば、その何倍にもなるでしょう。

　今は広い世界へ旅立っていく若者たちを見送る立場ですが、そんな私も、かつて一人、アメリカに向かったことがありました。もうずっと昔——この本を読んでいる方の何割かは、まだ生まれてもいない時代の話です。

　1962年の1月にはじめてアメリカの地に降り立ってから、私は実に二十年近くもアメリカで生きることになりました。その間に結婚し、大学院のMaster's degreeを取得し、二人の子供を産み育て、数々のアルバイトを経験して、正規の仕事にも就きました。暮らしはいつも楽ではなく、何度も絶望的な状況に直面しましたが、そのたび、どうにかこうにか乗り越えてきました。

もともと私が留学したのは決して崇高な理由があったわけではなく、実に単純な思いからでした。それは先に留学していた今の夫と結婚したい一心での渡米でした。当時の状況ではただ結婚のために渡米するというわけにはいかず、留学するという事情ならアメリカも比較的たやすく受け入れてくれたためでした。

　いくら若かったとはいえ、この考えがあまりにも甘かったことはすぐに身をもって思い知らされました。着いて早々、空港で大切な花嫁衣裳の入った荷物を盗まれ、言葉も通じない国で、助けを求めることさえままならず、わけが分からないまま、新しい生活に突入しました。奇跡的に荷物は戻ったものの、その日の生活費を稼ぐためのアルバイトと、合間をぬっての学生生活という慌ただしい日々がすぐに始まりました。まともに挨拶もできないのに、よりによって仕事は電話番──授業に出れば、宿題の内容はおろか、宿題が出ていることさえも分からない始末。毎日泣きながら必死に勉強しましたが、英語はなぜか上達しませんでした。

　留学すれば誰でも英語ぐらい憶えるというのは迷信です。柔軟な子供の脳ならともかく、ひとつの文化や言語で固まった大人は、ただ英語の世界に入るだけでは英語をマスターすることはできません。その証拠に多くの日系一世の移住者には半世紀アメリカで暮らしたあとも、片言の英語しかしゃべ

ることのできない方がたくさんいます。

　そんな私を救ってくれたのが、なんとなく日本から持ってきた一冊の文法書でした。日本で塾の教師をやっていた私にとって、それはなじみ深いものでしたが、実際の英語に触れた後、読み返したその内容は前とはまるで違う印象のものでした。バラバラだったいろんな知識の破片がはじめてくっついていったのです。「そういうことだったのか」と感じることがたくさんありました。いくら悩んでもどうしても分からなかった単純な疑問の答えも、あたりまえのように載っていました。

　成人した大人が外国語を憶えるには、ある程度の文法の知識がどうしても必要であることを、その時思い知らされました。そして、同時に文法だけを学んでも意味がないことも分かりました。文法は必要なものですが、実践しない文法などまるで無意味だということです。

　やがて、英語を読み、書き、しゃべるようになって、多くのアメリカ人と友達になり、家族のように付き合っていく中で、言語は生き物であり、感情をともなうものであり、決して机の上で終わる教科などではないことを痛感しました。やがて、日本に戻って大学で教鞭を取るようになり、私はこの考えに基づいて多くの学生に、英語について、そして、アメリカという国について今まで教えてきました。

今回、この本を書くにあたって、英語に触れてきた半世紀の経験から、日本国内でもっとも有効と思われる英語の勉強法を整理してみました。普段、英文科の大学生を相手に教えている私にとって、戸惑いながらの試行錯誤と実験から生まれてきたのが、あなたが今手にしているこの本です。
　この本は広く初心者から中級者を対象にしていますが、読み始める前にいくつか注意する点を知っておいていただきたいと思います。

　この本の中では英語の仕組みを解説していますが、それは従来の学校教育で教えられている英文法とはいささか異なるやり方です。したがって、従来の英語教育と英文法に慣れ親しんだ方は大変な違和感を感じるかもしれません。
　従来の文法ではうまく英語の仕組みが分からないという方のために、この本の文法は可能な限りシンプルに、最小限にまとめられています。これは膨大にふくれ上がった英語のルールから、核となるわずかな部分を見つけ出すことに専念したからです。そのため、例外的な要素はもちろん、初歩的な内容の事柄でも、混乱を招くと判断したものに関しては、敢えて省略したり、極端な解釈を用いたりしている面があります。
　これは本書が一冊で英語のすべてが分かるといった本では

なく、英語の世界へ足を踏み入れ、実践の中で英語を学んでいくことを前提とした「準備の書」だからです。

　本書は現存の文法教育を否定する本ではなく、だからといって、受験勉強の参考書となるものでもありません。ただ、今までとは「違う」ものです。実験的な意味も込め、英語を教える方法を私自身模索しながら、この本を書き上げました。

　本書は大きく四部構成になっています。
　準備編はプロローグともいえる部分で、なぜ日本の英語教育では実際に英語を使える人間が育たないのかを考えています。

　練習編ではいよいよ本格的な英語の仕組みの解説が始まります。

　実践編は練習編で身に付けた知識を基に、実際の文章を読んでいきます。

　最後の応用編は、実践を終えて、さらに英語に詳しくなりたい方のために、多少踏み込んだ英文の知識を付け加えたものです。
　もしあなたが英語の初心者なら、準備編から順に読んでい

くことをおすすめします。最低でも第六章までは読んで下さい。説明にそれほど難しい内容はないと思うのですが、少しでも難解だと思うところはこのマーク 難 を付けておきました。

　このマークが現れたら、内容が少し難しくなりますので、気を引き締めて下さい。それでも、どうしても分からないという場合、マークが付いている部分は飛ばしてしまっても意味が通じるようになっていますので、混乱してしまう前に、あっさり飛ばして下さい。二度目、三度目に読み返す時に、目を通していただければ十分です。
　第八章は多少ややこしいので、もし混乱しそうなら、「基本アレンジ」の項目だけを読み終わったら次の章へ進んでしまってかまいません。これも同じく、読み返しの時点で目を通してもらえば十分だと思います。

　どうか焦らず、ゆっくりマイペースで、確実に一ページずつ理解していって下さい。
　残念ながら時間はかかります。
「すぐにできます」と言いたいところですが、言えば嘘になってしまいます。
　しかし、過去半世紀ずっと英語に関わってきたすべての経

験に賭けて、地道な方法以外に言語を憶える方法はないことだけは断言できます。

　劇的な解決法も、画期的な近道も決してありません。

　私自身もあらゆる方法を試してみましたが、けっきょく一番地道な方法が一番早い道でもありました。

　時間がかかるといっても、数ヶ月で違いは出てきます。数年で夢にも見なかった場所へ行くことができます。それを長いと感じるか、短いと感じるかはあなた次第です。

　言語を学ぶ魔法の手段はありません。でも、言語自体は魔法です。時間も距離も越え、人と人をつなぐ人類最大の発明品です。その魔法に、今、少しだけ手を伸ばして触れてみて下さい。

　きっと、人生が変わります。

向山淳子
2001/11/1

ビッグ・ファット・キャットの世界一簡単な英語の本
Contents

はじめに　その前にまず本当のことを ● 3

準備編
第一章　準備運動 ● 13

練習編 1
第二章　基本形 ● 23
第三章　付録 ● 29
第四章　箱と矢印 ● 34

練習編 2
第五章　化粧品と化粧文 ● 43
第六章　区切り ● 48
第七章　イコール文 ● 57
第八章　カスタムアレンジ ● 62

実践編
第九章　文を読む ● 75
第十章　パラグラフを読む ● 90
第十一章　物語を読む ● 103

応用編
第十二章　特別な化粧品 ● 139
第十三章　接着剤 ● 145

おわりに　このあとは何をすればいいか ● 162

参考書などでは最初分かっていても、
途中で話を見失ってしまうことがよくあります。
それがきっかけでやる気がなくなってしまうというのは
無理もないことのように思います。

この本では万が一途中で話を見失ってしまった場合、
各章の扉に現在の状況を判断して
適切な章へ読者を導く分岐点を設けておきました。
読んでいく上で、ぜひ参考にしてみて下さい。

なお、前置きはいいので、
すぐに実際の作業に入りたいという方は、
準備編を飛ばして直接
練習編 1(▶p.21)**へ**。

第一章

準備運動

世界で一番簡単な言語

英語は難しい！

きっとそう感じている方が、この本を手にとって下さったのだと思います。

確かに英語は易しくはありません。どんな言語であれ、「易しい」といえるほどたやすく習得できるものはきっと存在しないはずです。ただ、数ある言語の中で、**英語がもっとも簡単な言語なのも本当です。**

考えてみて下さい。難しい言語だったら、こんなに世界中に広がるはずはありません。簡単だからこそ、こんなに普及したのです。

それに対して日本語の難しさといえば、世界でも有数のものです。上のパラグラフはおろか、今のこの一文を完全に読むためだけでも、文法や単語はもちろんのこと、それ以前にひらがな、カタカナをそれぞれ五十文字以上、漢字に至っては何千種類も憶えなければなりません。また、俗に「てにをは」と呼ばれている日本語の助詞についての規則など、日本人でも適当に使っているぐらいで、外国人がこれを完全に理解しようと思ったら、英語の前置詞どころの騒ぎではありません。

そんな難解な日本語を読み、書き、話すことができるほど言語能力のある日本人なら、必ず英語はできるようになるはずです。これは十数年にわたって私が学生に言い続けてきたことであり、事実、多くの学生が英語を使えるようになりました。

これを読んでいる方も、日本語を読んでいる時点で、もう言語能力

的には十分なものを持っているはずです。あとはやり方だけです。このやり方について少し考えてみましょう。

思考する順番

　繰り返しますが、英語は世界でもっとも易しい言語のひとつです。
　また、もっとも実用的で、使うのに苦痛を伴わない言語でもあります。
　英語で文を書くと、初心者の書いた文でも様になりますが、日本語で格好のいい文章を書くためにはかなりの練習が必要です。
　日本語だと述語が最後に来るという規則がある上に、ほかの部品もいくらでもシャッフル可能なので、よく考え抜いてから文章を書き始めなければなりません。しかし、英語は違います。英語は単純に重要な順番に並べていけばいいのです。「誰が」、「どうした」、「何を」、を並べ、その後ろに場所とか時間とか細かい設定を思い付くままに付けていけばいいのです。
　これはまさに人間の思考の順と同じなので、思うがままに語っていっても、言葉に詰まったり、順番がおかしくなったりはしません。
　では、その簡単なはずの英語──世界の共通語にまでなった英語に、なぜ日本人だけがこうも苦しんでいるのでしょう？
　それは勉強の仕方に大きな問題があります。

インプットとアウトプット

　日本では「英語」というひとつの言語を「英文法」「英会話」「ヒアリング」「長文読解」「英文和訳」などなど、多数の分野に分けて語る傾向があります。これはたぶん世界で日本だけの現象です。
　巷には「英会話」の専門学校があふれ、英語がいかに簡単にマスター

できるかを競って宣伝しています。でも、不思議なことに、私はこういった学校を出ただけで英語ができるようになった人と、あまり会ったことがありません。試しに周りにも聞いて回ったのですが、誰一人、そういう人を知っている方はいませんでした。どこかには居るのかも知れませんが、数はあまり多くないように思います。

やはり、英語は英語なのです。**「英会話」というジャンルも「ヒアリング」というジャンルも存在しない**と私は思います。あえてあげるとすれば、英語を学ぶということは、英語を「読む」ということです。私の周りにいる英語が「できる」人というのは、例外なく英語の文章をたくさん読んでいる人です。そして、ある程度文法も知っている人です。

私も若い頃に日本で英語教育を受けてアメリカに渡りましたが、渡った当時には英語はほとんどできませんでした。しかし、現地で毎日のように渡される宿題の書籍を、泣きながら辞書を片手に何冊も読んでいくうちに、自然と英語が身に付いていきました。

「読む」ことは蓄積することです。コンピューター用語で言うならインプットをしていくことです。好きな曲のメロディーを何度も聞いているうちに自然と憶えてしまうように、英語も無理に憶えようとしなくても、読み続けていれば、フレーズや言い回しや無数の単語を自然に記憶してしまいます。それは多くの場合、憶えたという自覚もない「無意識の記憶」です。

こういった「無意識の記憶」でなければ、言葉は身に付きません。意識して思い出さなければいけないような記憶は、人間の思考スピードやしゃべる速度についていけないからです。とにかく読み続け、吸収して、「無意識の記憶」を増やし続けること――それだけが英語の勉強法です。「読む」ことだけをしていれば、「聞く」「書く」「話す」ということは自然についてきます。ちょうど毎日聞いている曲のメロディーが、ある日、自然と口から漏れ出てくるように。

そういう瞬間、「歌おう」と考えて歌うのでしょうか。むしろなんと

なく歌ってしまってから、初めて自分が実はその曲を気に入っていて、メロディーを憶えていることに驚くのではないでしょうか。

それはつまり、吸収し続けた結果、吸収したものが多くなり過ぎて「溢れ出した」ということです。

第二言語をマスターした経験のある方の多くが、言語はある日、ある瞬間、突然霧が晴れたように「あ、分かる！」と感じたと言います。徐々に分かってくるのではなく、ある時に突然今まで見てきたもの、聞いてきたものが全部組み合わさって、全体図が見えるようになるのだと言います。それはジグソーパズルの組み立てと似ていて、あっちこっちにわけが分からないままピースをはめこんでいくと、ある時に「ああ、こういう絵か！」と分かって、そこからはどんどんパズルが完成に向かっていくのと同じです。

言語の話し方

英語が使えるということは、頭の中でまず日本語で言いたい文を作り、文法規則をなぞりながらそれを一単語ずつ英語に変換していくということでは決してありません。英語をしゃべることのできる人で、そんなことをしている人は一人もいないと思います。

英語を使うということは、何か考えが浮かんだら、それに見合う言い方や文を、自分が頭の中に保管している膨大な量の英語の文例から、一番近いものを選んで、必要に合うように若干の変更を加えて読み上げることです。日本語もその他のすべての言語もそうです。

自分のしゃべっている第一言語というのは息を吸うのと同じくらい自然なものなので、意識するのは難しいと思いますが、よく考えてみれば、自分がしゃべっている時や書いている時、決してゼロから文章を作っているのではなく、どこかで見たり聞いたりした文から、自分が気に入った表現を選んで使っていることに気がつくはずです。

英語も同じ言語ですから、日本語と憶え方が違うはずはありません。したがって、基本はとにかく「溢れるまで貯める」ことです。

唯一の学習法

英語はとにかく、まず「読む」ことです。

そんなことをいっても、やはり読むだけではヒアリングなどは無理ではないのか、という心配は分かります。でも、聞き取れないのは発音が分からないからではなく、話す相手の速度が速すぎるからでもありません。

相手の言っている文を見たことがないからです。

自分の知っている文の中にないからです。

聞き取りにくいロック歌手の歌でも、歌詞カードを片手に聞けば、意外に簡単に聞き取れるものです。そして、一旦聞き取ったら、もうそれ以外に聞こえなくなってしまいます。英語を読むということで、万能の歌詞カードを手に入れるのです。

これを踏まえて考えると、日本の英語教育というのは実に不可解です。

日本では中学、高校と六年間にわたって英語を勉強する間、ほとんどの学生は一冊の英語の本も読み終わりません。極端な場合は大学の四年間──しかも、英米文学科での四年間──を含めても、一冊も英語の本を読了しない可能性さえあります。

これはもう異常事態です。英語を文法の規則書だけで憶えようというのは、野球をルールブックを読んだだけでうまくなろうというのと同じことです。

野球のようなスポーツを子供に教える場合を考えてみましょう。

最初にボールとバットとグローブを渡して、「さあ、野球やれ」と言っても無茶な話です。かといって、ボールを投げたこともない子供に

「インフィールドフライの処理」とか「エンタイトルツーベースの判断基準」などを語っても無意味です。

　きちんとした指導者であれば、子供にバットの握り方や、ボールの投げ方、捕り方——それと「打ったら一塁へ走る」などの本当に基礎的なルールだけをまず教えるはずです。あとは実際に野球をやっていく中で、適切なアドバイスを与えていくことでしょう。

　野球だけでなく、ほとんどのスポーツ——いや、世の中のほとんどのことはこうして憶えていくものだと思います。もちろん英語も例外ではありません。しかし、日本では「読む」という「実践」を経験させることなく、英語のできる人間を作ろうとしています。

　本当のことを言えば、英語を使うのに細かい文法は必ずしも必要ありません。

　しかし、最初に本を読み始める時に、何も知らないのは問題です。それは野球の道具を与えて「さあ、やれ！」というのと同じです。野球なら最初に教える「バットの握り方」や「ボールの投げ方」程度の基本中の基本の知識が、英語でも必要なのです。

　文のどこに注目して、どこが重要で、どこはおまけなのか、それを見分ける程度の知識があった方が上達は断然早いはずです。それは文法やルールというより「コツ」と言った方がいいのかもしれません。

　本来、英語を学ぶのに必要な「文法」はその程度の、読み始めるまでの「基本の基本」だけです。辞書のような厚さの教本や、果てしなく続く単語帳は必要ありません。

　あとはただ読み続けていくだけです。ほかは必ず自然に付いてきます。

　英語ネイティヴの国の人たちはみんなこうして英語を身に付けています。日本人も同じ方法で日本語を身に付けます。これが唯一にして最高の言語の習得法であって、ほかに選択肢はないと、私は信じています。

最小限必要な準備運動

　この本は「最初の一冊の本をあなたが選び、読み始める」までの手伝いをさせていただく本です。この本を読んだからといって、すぐに英語ができるというものではありません。

　だから薄い本です。これで十分なのです。

　別に、いきなり英語を書いたり、難問を解いたりしようというわけではありません。憶えることはほんの少しで十分です。日本語でも、漢字を正確に書くのは大変ですが、読むだけなら比較的簡単です。どんな言語でも、読むことは最初の一歩です。

　だから、どれが規則動詞で、どれが不規則動詞で、**lie** の過去分詞が何で……なんていう細かいことは憶えなくても大丈夫です。

　最小限必要な文法の知識は、英語の文章の主な形と、どんな順番に単語が並ぶのかという程度です。だから「英文法」は大変だと恐れないで下さい。この本のページをめくってみて下さい。どう考えてもそんなに難しい本だとは思えないでしょう？

　それでもまだ、文法は怖いという方もいると思います。

　でも、たぶん本当に怖いのは文法ではなく、「文法用語」なのではないでしょうか。文法というのはただのルールで、例えば話の主役が文章の一番前に来る、というようなことが文法です。対して、それを「主語」と呼んだり、その中身を「名詞」とか「名詞句」と呼んだりするのが「文法用語」です。こんなものは誰でも嫌いです。私も嫌いです。

　だから約束しましょう。次の章からは俗に言う「文法用語」は一切使いません。安心してお読み下さい。このあと、どこを探しても「主語が三人称単数現在の場合、動詞の原形に **s** を付けて」というような文章は見つかりません。きっとこの本を読み終えた頃には「三人称単数」なんていう言葉そのものが懐かしくなっているはずです。

　それでは英語を「読む」ために、まずは次の章へどうぞ。

> **この章のまとめ**
> ・英語を学ぶには「読む」しかない。
> ・学ぶべきなのは「基本の基本のルール」だけ。

文法はどうも苦手だ、という方は
このままページをめくって下さい。

文法はそこそこ自信があるので、
すぐ実践に入りたいという方は
第九章(▶p.75)**へ。**

文法には絶対的な自信があるという方は
第十二章(▶p.139)**へ。**

第二章
基本形

英語の基本的な仕組みはたったひとつの図だけで説明できます。

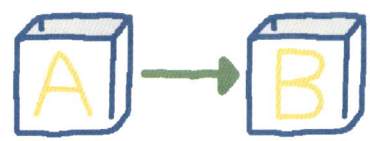

Aと**B**という二つの箱と、その間をつなぐ右向きの矢印。「**A**が**B**に何かをする」という形の文です。英文の70〜80%はこの形です。そして、どんな長い文も、どんな複雑な文も、この形の変形にすぎません。

この本ではこの図のことを「基本形」と呼ぶことにします。

Aの箱

まずは上の図、左側にある**A**の箱に注目して下さい。

Aは「主役の箱」です。

文章の中心になる部分が入る、一番大事な箱です。分かりやすいように、この箱は真っ赤に塗ることにしましょう。

この箱に入るもの、つまり「主役」の例をひとつ挙げてみましょう。

The cat scratched Ed.

(猫はエドをひっかいた。)

Aに入る主役は、もちろん「**The cat**」(猫) です。

猫を箱に入れてあげましょう。
こらこら、いやがらない。

この箱に入るのは「ひと」「動物」「もの」「考え」などです。これはまだ憶えなくてもかまいません。

とりあえず**A**の箱は「主役」の入る箱、と心に留めておいて下さい。

Bの箱

さて、**A**が「主役」なら、**B**は「脇役」です。

こちらは主役の箱と間違えないように青く塗っておきます。

Bの「脇役の箱」に入るのは、主役が「何か」を行う相手です。例えば**A**に「猫」が入っているとして、**B**には人間……そう、パイ屋さんのエドを入れてみましょう。

「脇役の箱」に入るのも主役と同じ「ひと」「動物」「もの」「考え」などです。

さて、主役の箱には猫が、脇役の箱にはエドが入りました。そして、主役の箱から脇役の箱には矢印が延びています。これは猫がエドに対して、何かを行ったことを意味しています。

例えば、ひっかいたのだとします。こういうことです。

ここでの矢印は「**scratched**（ひっかいた）」です。
これが英語の文のもっとも基本となる形です。

1 まず文の主役が誰か（何か）を決めて、それを**A**の箱に入れる。
2 その主役が何をしたのかを考える。
3 「誰に」もしくは「何に」対して、それを行ったのかを決めて、**B**の箱に入れる。

これで英文の完成です。

もうひとつ例を見てみましょう。
Aの箱にまた猫を入れてみます。

そして、Bの箱には「カーテン」を入れてみます。

矢印はなんだと思いますか？　猫はカーテンに何をしたのでしょうか？

はい、その通りです。猫はカーテンを見るとひっかかずにはいられません。

この文をきちんと書くと、こうなります。

The cat scratched the curtain.
（猫はカーテンをひっかいた。）

それぞれ、**A**の箱に入る部分を赤、**B**の箱に入る部分を青、矢印になる部分を緑にぬっておきました。

では次に、**A**の箱にエドを入れて、**B**の箱に猫を入れてみましょう。

どうやらさっきのカーテンはエドのお店のカーテンだったようです。エドは腹を立てて猫を追いかけています。

この文を英語で書くとこうなります。

Ed chased the cat.

（エドは猫を追いかけた。）

いかがですか？　英語の基本構造はこれだけです。

英語は二人の役者が演じる芝居のようなものです。**主役は必ず左側のAの箱に入り、Bの脇役はいつもAの行為を受ける側となります。**

非常に特殊な場合を除いて、この関係は逆になることはありません。**矢印は必ず右向きです。**

> **この章のまとめ**
>
> ・英文の基本的な形は**A→B**である。
> ・矢印は必ず右向き。
> ・ひとつの文に主役、脇役、矢印は基本的にひとつずつしかない。

第三章

付　録

　第二章で述べたように、文の基本は主役と脇役、そして、主役が脇役に何をしたかです。
　これだけで言いたいことはほとんど伝わります。
　しかし、細かい状況は分かりません。ちょうど真っ暗な舞台で、二人の役者にだけスポットライトが当たっているようなものです。先ほどの「**The cat scratched Ed.**」という文でも、猫がエドをひっかいたのは分かっても、いつ、どこで、どのようにひっかいたのかまでは伝えることができません。
　こういった細かな情報をどうするかというと——ここが英語という言語のとても優れたところなのですが——文の後ろへ後ろへ、重要な順にどんどん付け加えていけばいいのです。

付録を付けてみる

　実際にやってみましょう。**The cat scratched Ed.** にもう少し詳しい説明を付けます。この三つの説明を加えてみましょう。

> ・いつ——「**yesterday morning**（昨日の朝）」
> ・どこで——「**in the kitchen**（キッチンで）」
> ・どのように——「**again**（また）」

　どうやらエドは何回もひっかかれているようです。

これらを順番は関係なく、文の後ろに置いてみましょう。

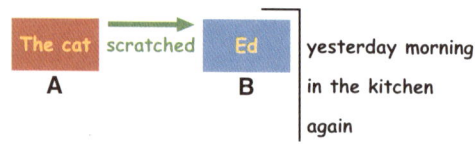

あとはこれを並べるだけです。この並べ方に決まりはないのですが、きれいに読める順番や分かりやすく並べるコツはあります。基本的には重要な順だと考えて下さい。ここでは **again** が重要だと考えて、**again** を前に出しましょう。別に **in the kitchen** や **yesterday morning** を先に出しても問題はありません（一般的に、「場所」や「時間」よりも「どのように」の方を重要に扱うのが慣例になっています）。

次に場所、最後に時間を置いてみましょう。これで立派な英文の完成です。

このように、英語ではまず基本形の部分を作り、そこにあとからあとから詳しい状況の説明を付けていくだけで文ができてしまいます。

しかし、この時、注目してほしいのは、いくら詳細をたくさん付けても、大事なのはあくまで「基本形」の部分だということです。主役が誰（何）で、脇役が誰（何）で、主役は脇役に何をしたか──文章で大事なのはこの部分だけで、ほかはなくてもいいと考えてもかまいません。

これは英文を知る上ではとても大事なことです。

どんなに長い文でも、主役と脇役と矢印が把握できれば、あとの部分は聞き流してもいい程度のものだということです。

大事なのは箱の中身で、箱の外にあふれ出たものはどんなにたくさんあっても、ただの「付録」です。

今後は、あとから付いてくる様々な詳細はすべて「付録」と呼んで説明していきたいと思います。

それでは付録に付くものにはどんな種類のものがあるのでしょう？

「時間」「場所」そして「どのように」

もっとも多いのが「時間」と「場所」です。「時間」も「場所」も関係ない文章というのはほとんど存在しないので、必然的に一番多くなります。

次が「どのように」です。矢印の動作を具体的に「どのように」行ったかを補足している付録です。

矢印が「ひっかいた」なら、どう「ひっかいた」のか──「素早く（ひっかいた）」とか「二回（ひっかいた）」とか、主役の「動き」の細かい説明を補足するのが役割です。

ちょっと並べてみましょう。付録はこの三種類です。

1　時間（いつ）　　2　場所（どこで）　　3　どのように

これらの付録はすべて、矢印を詳しく説明しています。矢印が「ひっかいた」という動作なら、「いつひっかいた」か、「どこでひっかいた」か、そして、「どのようにひっかいた」かです。

　つまり、**付録はいつも矢印と密接な関係にあります。**

　先ほどの例文 **The cat scratched Ed again in the kitchen yesterday morning.** では、**again** は「どのように」、**in the kitchen** は「場所」、**yesterday morning** は「時間」です。これらはすべて矢印をくわしく解説しています。

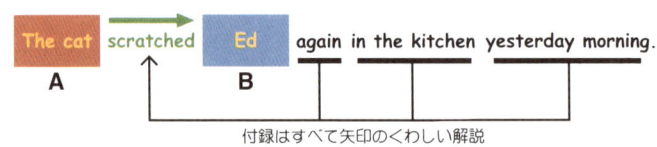
付録はすべて矢印のくわしい解説

以上で付録の説明はおしまいです。

　最後に、付録は基本形の後ろだけでなく、前にも付けることができるのを知っておいて下さい。先ほどの例文のうち、付録のひとつである「**yesterday morning**」を前に出すとこうなります。

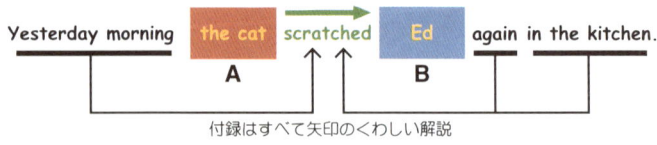
付録はすべて矢印のくわしい解説

　文を読みやすくしたり、付録のうちのひとつを特に強調したりなどの理由で前に出すわけですが、基本的に付録は後ろだと思っておいて下さい。前に出るのは主に「時間」に関する付録が多いようです。

この章のまとめ

・基本形の前後にはいくらでも付録が付く。
・付録は「時間」「場所」「どのように（矢印を行ったか）」の三種類がある。
・付録は全て矢印と密接な関係にある。

第四章

箱と矢印

　さて、文章の大まかな構造が頭に入ったところで、もう少し細かく見ていきましょう。二つの箱と矢印には具体的にどんな単語が入るのでしょう？

矢印の中身

　まず矢印から。

　これはもう矢印ですから、見るからに動きのある単語です。

　例えば、「走る」「投げる」「跳ぶ」「渡す」などの簡単な動作から、「考える」「愛する」「夢みる」といった目に見えない心の動き、さらにはもっと大きな規模での動き、「栄える」「引っ越す」「移り変わる」なども含めた様々な動作、変化などです。

　百聞は一見にしかずと言いますので、実際に矢印になる単語の例を並べてみます。

swim　　　　　walk　　　　　slip

第四章 ● 箱と矢印

eat　　　　**read**　　　　**talk**　　　　**sleep**

役者と化粧品

それでは、主役や脇役になるのはどんな単語なのでしょうか？

前にも少し書きましたが、主に「ひと」「もの」「動物」「考え」など、名前のあるすべての存在が主役や脇役になります。日本語でいうと「——が」とつけて成り立つものはすべてです。（例：「エドが」「図書館が」「猫が」「天気が」）

主役や脇役となる単語をいろいろと並べてみましょう。

cat　　　　　　　**Ed**

courage　　　　**child**　　　　**children**

ghost　　**midnight**　　**evil**

dream　　**library**　　**weather**

　これらは主役や脇役になる単語ですから、これからは総称して「役者」と呼んでいきます。

　しかし、「役者」はただ箱に入るのではなく、たいていはかなり化粧をして入ります。

　この「化粧品」となる単語は、役者が「どんな」役者なのかを詳しく説明する役割を持っています。「美しい〇〇」「汚い〇〇」「かっこいい〇〇」「上品な〇〇」「危なげな〇〇」「悪質な〇〇」など、日本語では主に「──い」や「──な」で終わる単語が「化粧品」です。それでは、ここでも実際に「化粧品」となる単語の例を一覧にしてみます。

第四章 ● 箱と矢印

big　　**small**　　**interesting**

fast　　**strong**　　**warm**

「付録」が矢印をくわしく説明しているように、「化粧品」は役者を細かく説明します。

極めて特別な化粧品として、**a** と **the** という二つの単語があります。これらの「特別な化粧品」については、第十二章で詳しく触れていますので、そちらをお読み下さい。今はとりあえず、これらも「化粧品」のひとつとだけ憶えて下さい。

役者はこういった化粧品をたくさん伴って、二つの箱に入ります。このことについて、もう少し説明するために、おなじみの役者「猫」にもう一度登場してもらいましょう。

cat

この「**cat**（猫）」に「**big**（大きい）」と「**fat**（太った）」の二つの化粧品を付けてみましょう。こうなります。

big fat cat

　こういった「役者」と「化粧品」がくっついて、ひとかたまりになって、それぞれの箱に収まります。

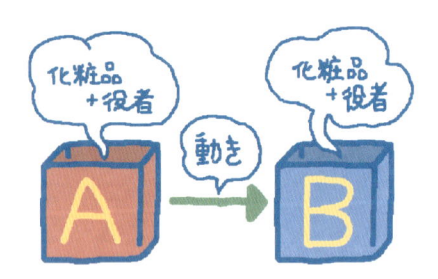

　化粧品はたいてい役者の前に付きます。つまり、「**big fat cat**」や「**fat big cat**」となるわけで、「**cat fat big**」などのような順番にはなりません。
　役者の後ろに付くものは「化粧文」といって、完全な文や、文の一部などがまるごと「化粧品」として使われる場合に出てくる形ですが、次章ではこちらを細かく見ていきましょう。

この章のまとめ

・矢印には動きが入る。
・AとBには役者に化粧品が付いて入る。
・化粧品はたいてい役者の前に付く。
・化粧品はいくつか重ねて付けることもできる。
（例：big＋fat＋cat）

コラム！ 英語教師がよく聞かれる質問

Q もっとも早く確実に日本で英語を憶えるにはどうすればいいですか?

A：もっとも早くて、かつ確実な方法は、同時に『唯一』の英語の学習法でもあります。それが英語の本を読むことです。残念ながら国内ではほかに選択肢がないように思います。一週間や二週間というわけにはいきませんが、数ヶ月も続けていれば、驚くほど英語ができるようになってきます。

Q 英会話教室に通おうと思っているのですが……?

A：多くの英会話教室は身になる英語を教えるのではなく、いくつかのフレーズや文を暗記して、パターンを作り上げていく形で英語ができたと感じさせることを目標としています。言ってみれば、簡単な英語の脚本を憶えるようなものです。本格的なコミュニケーションをするのは無理ですが、海外で買い物などをするだけなら便利かもしれません。しかし、高い授業料のことも考え合わせると、あまりお勧めすることはできません。英語を本気で学ぶなら、そのお金でぜひ好みの英語の本を買って下さい。

Q アメリカに留学すれば誰でも英語ができるようになりますか?

A：いいえ。よくこういった迷信が信じられていますが、留学生できちんと英語ができるようになるのは、やはり日本でもアメリカでもちゃんと努力している学生だけです。確かに努力している学生がアメリカに留学した場合、英語力の発達は速いかもしれませんが、日本で伸びない学生はアメリカに行っても同じです。

Q いくつぐらい単語を憶える必要があるでしょうか?

A：単語を「憶える」必要はありません。無理に「憶えた」単語を使うことは決してできません。本当に「使う」ことのできる単語は、何冊も本を読んでいるうちに頭の中に自然と染み込んだ単語だけです。

Q 何冊ぐらい本を読めば、英語ができるようになりますか?

A：人が呆れるほど読めば、人が呆れるほど英語ができるようになります。ちょっと感心するぐらい読めば、ちょっと感心するぐらい英語ができるようになります。でも、最後まで読み通せば、一冊でもかなり違いは出ます！

練習編2

もう頭がパンクしそうだ！という方は、
とりあえず一日休んでから
もう一度第二章(▶p.23)**へ。**

新しく憶えたことを一度試してみたいという方は
第九章(▶p.75)**へ。**

まだ頭に余裕があるという方は、
このままページをめくって下さい。

第五章
化粧品と化粧文

　この章の冒頭の部分は今までよりも少し難しくなっています。

　なぜなら、この章で扱う「化粧文」は、初心者が英語を学ぶ上で最大の難関となっているところだからです。逆に言えば、これさえ理解することができれば、初心者レベルは抜け出したと考えてもいいでしょう。

　それでは始めます。覚悟はいいですか？

エキストラがいっぱい

　今までは役者の前に付く「化粧品」を紹介してきましたが、実は役者の後ろに付く「化粧文」というものもあります。「化粧品」の場合は原則的に一語だけのものを指します。「かわいい」や「優しい」などです。しかし、「醜い笑みを浮かべた」という説明を付ける場合、一語ではどうやっても不可能です。このように単語単位でない説明を付ける場合は、役者の後ろに完全な文、もしくはフレーズを付けることになります。これが「化粧文」です。

　つまり、文の中にもうひとつ文があるわけです。しかも、それぞれの箱の中にいくつでも「化粧文」を付けられるので、ひとつの文の中にいくつも化粧文が登場することがあります。図で書くと、こんな感じです。

赤色の文字……「主役」／青色の文字……「脇役」／黄色の文字……「エキストラ」

The big fat **cat** with the ugly grin ate the **pie** that Ed baked.

　　　　　　　A　　　　　　　　　　　　　　　B
　　　　　　　　　　　　　化粧文　　　　　　　　　　　　化粧文

　ひとつの文には本物の主役、脇役、矢印は基本的にひとつずつしかないのですが、化粧文を形作っている主役や脇役や矢印と、本物の主役や脇役や矢印とを勘違いしてしまうと、わけが分からなくなってしまいます。大事なのはきちんと文脈を見て、**本物の主役、脇役、矢印がどれであるかを見極めていくことです。**

　この「化粧文」の中の役者は、決して本物の主役や脇役になることのない「エキストラ」です。本物の主役や脇役が基本的にひとつなのに対して、彼らはいくらでも出てきます。何しろエキストラなのですから。

文の重さ

　ところで役者でも「**the**」ぐらいしか化粧品を使っていないものもあれば、コテコテに塗りたくっている役者もいます。

　この化粧品を塗りたくっている役者がだいたい混乱の原因になっているようですが、冷静に見極めれば、すっぴんの役者も厚化粧の役者も変わらないことに気がついてもらえると思います。

　例えば（1）**The cat ate the pie.**（猫がパイを食べた。）という文章があるとします。このくらいの長さの文章だとあまりびっくりしない方でも、それが（2）**The big fat cat with the ugly grin ate the blueberry pie that Ed baked.** という長い文章になると、とたんに慌ててしまいます。でも、慌てる必要はありません。どんな文章でも「基本形」のひとつには違いないのです。（1）がどうやって（2）になっていくのかを順を追って見てみましょう。

第五章 ● 化粧品と化粧文

まず例の「基本形」の図式をもう一度思い出してみて下さい。

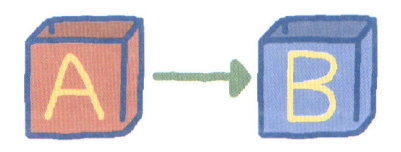

ちょっとこの箱の中身を上皿天秤に乗せてみましょう。例えば「**The cat ate the pie.**（猫がパイを食べた。）」というだけの平易な文は、天秤にはこう乗ります。

The cat ate the pie.（猫がパイを食べた。）

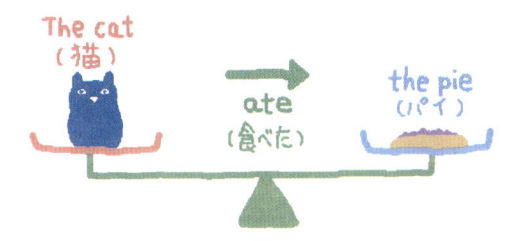

それぞれの皿に乗っている単語が少ないうちは分かりやすいのですが、複数の単語がひとかたまりになって皿に乗ると、とたんに分かりにくくなります。実際に乗せてみましょう。

The big fat cat ate the pie.
（大きな太った猫がパイを食べた。）

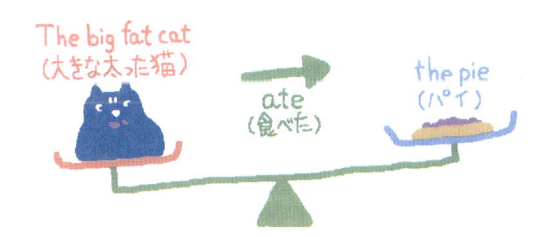

このくらいなら大丈夫ですか？　それなら **cat** の後ろにも化粧文を付けてみましょう。

The big fat cat with the ugly grin ate the pie.
（大きな太った醜い笑みを浮かべた猫がパイを食べた。）

　確かに分かりにくくなっていますが、最初の形を知っていれば、基本形が変わっていないことは分かってもらえると思います。**cat** に「どういう猫なのか」という説明がたくさん付いただけです。
　今度は脇役の方にも、いろいろな化粧をしてみましょう。

**The big fat cat with the ugly grin ate
the blueberry pie that Ed baked.**
（大きな太った醜い笑みを浮かべた猫が
エドが焼いたブルーベリーパイを食べた。）

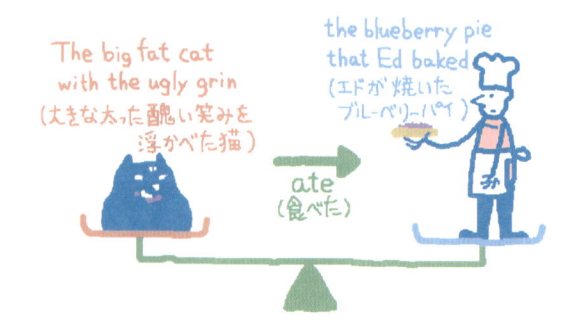

ずいぶん英語らしくなってきました。いきなりこの文を見たら腰が引けてしまう人でも、どの部分が化粧かが分かっていれば、こんなに長い文でも「基本形」にあてはまることが分かってもらえると思います。

英文は、二つの箱の中身をきちんと見つけていけば、全体像はすぐに見えてきます。そのためにも、頭の中で英文を区切って、それぞれの区切りを箱と矢印にあてはめていくことが、読む上での鍵になってきます。

この章のまとめ

・役者には前に化粧品、後ろに化粧文がいくらでも付けられる。

第六章

区切り

　さて、英文の基本形とそこに入るものは分かりました。あとは英文の一区切りがどこからどこまでなのか、それさえ分かれば、基本形についてはおしまいです。いくら英文の構造が分かっていても、区切る場所を間違えてしまったら元も子もありません。

発音と区切り

　文を切るべき位置で切ることができるかどうか——実はこれが英語をマスターする上でもっとも重要な事柄かもしれません。

　日本人の英語がネイティヴスピーカーに聞き取ってもらえないのは、発音が悪いからではなく、文を切るところ、つまり息継ぎの場所がおかしいからです。

　何よりの証拠に、アメリカに移住したアジア系やアフリカ系のアメリカ人の英語は、日本人と大差のない発音ですが、ネイティヴスピーカーは彼らの英語を聞き取ることができます。彼らの発音が大変にユニークだとしても、文章を区切るところが正しいので、聞き取ることができるのです。

　例えば、**The book is on the table.** という文を、本来の息継ぎの位置で区切るとこうなります。

The book is on the table.

途中で言葉が出てこなくて、しばらく黙ってしまったとしても｜のところであれば不自然ではなく、むしろ個性的なしゃべり方だとか、文を強調しているのだとか思われるはずです。逆にこの｜が入る以外のところでは何が何でも言葉を止めてはいけません。

　例えば、こんなところで区切ると聞き取りにくく、かつ聞く者に不愉快な英語になってしまいます。

The book is on the table.

　実際に声に出して、｜のところに間を入れて読んでみて下さい。最初の区切り方はゆっくり読んでも英語らしく聞こえますが、あとの区切り方はよく耳にする「つたない英語」そのものになるはずです。

　文章を適切に区切って理解していく──これは英語をマスターするために不可欠な技術です。

理解する順序

　実際の会話だけでなく、文章を読む時にも、区切りごとに文章をとらえて理解していく癖をつけなければ、本当に英語を読むことはできません。

　英語は左から右へ目が文を追っていく過程で、一問一答式に読みとっていく言語です。

例えば：

① **The cat** ② **scratched** ③ **the curtain** ④ **yesterday.**

(猫が昨日カーテンをひっかいた。)

という文を読むとき、ネイティヴの思考は次のようなものになります。

「まず主役は？」と考えて最初の区切りを見ます。

The cat

「猫か。それでは猫がどうしたんだ？」と考えながら次の区切りを見ます。

scratched

「ひっかいたのか。それで何を？」と次の区切りを見ます。

the curtain

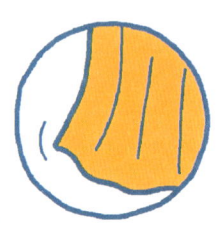

「カーテンか」と考えます。

　これで基本形の部分は終わりで、そのあとは付録なので、ここからは軽く流し見します。

yesterday

「あ、これやったの昨日ね」という感じです。

　これが **The cat scratched the curtain yesterday.** という文を見た時の英語圏の人間の思考です。この文を見て決して「①猫は④昨日③カーテンを②ひっかいた」とは考えません。

　このように区切りごとに文章をとらえ、その区切りの位置で、それが主役か脇役か矢印か付録かを判断しながら読んでいくのが、英文読解の基本となります。この作業を素早く行えるようになれば、英語がスラスラ読めるようになります。

　それに反して、英文を日本人の思考パターンに当てはめて訳し上げると、すごく時間がかかってしまいます。そうなると、それはもう英語ではなく、ただの文字化けした日本語になってしまいます。

　英語を正しく読みとるためには、(1) 文章がいつも区切りで見えるようにして、(2) それぞれの区切りが文のどの位置（主役の箱、矢印、脇役の箱、付録）に入るかを把握することです。

　特に重要なのは (1) で、これができるかどうかによって英語力が決まるといっても過言ではありません。まず英文を読み始める際の最初の目標を、見た瞬間に自動的に英文が細かく区切って見えるようになることに定めて下さい。これができるようになれば、長文も怖くなくなります。

それで、肝心のその区切り方ですが、これは説明するよりも実際に第九章以降の実践編で経験を積んでいった方が分かりやすいと思いますので、ここでは延々と説明をするより、二つのコツだけを紹介しておきます。

矢印を見つける

　英文のすべての文章には矢印が必ずあります。そして、矢印はひとつしかありません。

　文に入っている矢印を見つけてしまえば、矢印の左側に主役の箱、右側に脇役の箱があることが分かります。そうして基本形の部分が判明すれば、そのあとの部分は付録なので、区切る作業がたやすくなります。

　文章を区切る第一段階として、まずは矢印になる「動き」を表す単語を見つけるようにしましょう。

　この時、ひとつだけ注意してほしい点があります。

　難　矢印は一文に必ずひとつなのですが、「動き」を表す単語が別の位置にも存在することがあります。これは英語では、先にも述べたように、「役者」に飾りとしての「化粧文」が付いていることがあるからです。図にすると、こんな感じです。

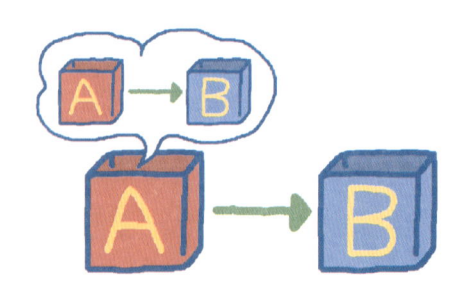

例えばこんな文があったとします。

A cat that has lived for a hundred years can speak English.
(百年生きた猫は英語をしゃべることができる。)

　この文での矢印は後半に出てくる **can speak** です。前半の **that has lived for a hundred years** はすべて **cat** に付く化粧文で、あくまで主役 **cat** の後ろに付く「飾り」でしかありません。

　このあたりが英語の唯一ややこしいところなのですが、詳しいことは実践編で文ごとに説明していきます。主役（または脇役）を飾っている「化粧文」の中に使用している矢印と、文全体の本当の矢印を勘違いしないようにして下さい。

役者中心

　まず矢印、そして**A**と**B**の箱を見つけ出すことができれば、残りは付録です。英文を区切る時、この順番で考えると分かりやすくなります。

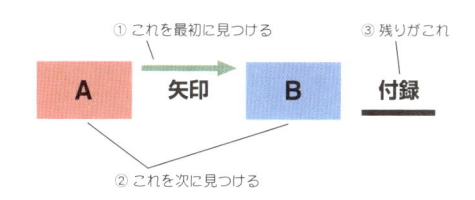

① これを最初に見つける
③ 残りがこれ

| A | 矢印 | B | 付録 |

② これを次に見つける

Aと**B**の箱を見分けるには、まずその構造をしっかり思い出してください。**A**と**B**の箱は基本的に「役者」を中心に、前から「化粧品」、後ろから「化粧文」を付けたものです。大切なのは中心になっている役者を見つけることです。役者を見つけてしまえば、あとはその役者にどう化粧品が付いているかを見極めれば、どこからどこまでがどの箱に入るか分かるはずです。イメージとしては、英文を見た時、こんな感じで見えることが理想的です。

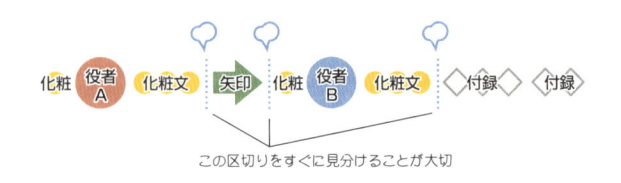

化粧　役者A　化粧文　矢印　化粧　役者B　化粧文　〈付録〉　〈付録〉

この区切りをすぐに見分けることが大切

実際に文を区切ってみましょう。
まずはこの文。

The big fat cat steals delicious blueberry pies everyday.
（大きな太った猫はおいしいブルーベリーパイを毎日盗んでいる。）

　まず、「矢印」を見つけます。矢印は動きの単語なので、この文には「**steals**（盗む）」しかありません。従って、自動的にこれが矢印になります。

次に**A**の主役の箱を判別します。「矢印」がすでに見つかっているので、**A**の箱はその左側にあるはずです。左側にある「役者」は **cat** だけです。従って、これが役者で、その前に付いている三つの単語はすべて **cat** の化粧品となります。**cat** は後ろに何も付いていないので、化粧文は持っていません。これで最初の区切りははっきりしました。

区切り①

The big fat cat steals delicious blueberry pies everyday.

次に矢印の右側の役者に注目します。ここでは **blueberry** と **pies** がありますが、**blueberry** はパイの種類なので、中心になっている役者は明らかに「**pies**」です。従って、矢印と **pies** の間にある単語はすべてパイの化粧品です。これで二つ目の区切りも分かりました。

区切り① 区切り②

The big fat cat steals delicious blueberry pies everyday.

パイの後ろに付いている **everyday** は果たして **pie** の化粧文でしょうか？ それとも付録でしょうか？ 付録の種類を思い出してみて下さい。「時間」「場所」「どのように」の三種類です。「**everyday**（毎日）」は「時間」なので、これは付録であり、**pies** には化粧文が付いていないことになります。これで最後の区切りも分かりました。

区切り① 区切り② 区切り③

The big fat cat steals delicious blueberry pies everyday.

また、別のやり方としては、矢印だけ見つけたあと、先に後ろから付録の部分を探し出して、そこだけ文から切り離して、残りで区切りを考

えるという方法もあります。この文で言えば、「**steals**」を見つけたあと、文末から、どこまでが「時間」「場所」「どのように」かを見極めていくと、**everyday** はすぐに付録として切り離せます。

　「どのように」の判別が難しければ後回しにして、分かりやすい「時間」と「場所」だけ先に見つけるという方法もあります。

　文によって、うまくいく方法といかない方法がありますので、いろんな角度から臨機応変に考えて、文を区切ってみてください。

この章のまとめ

・英文の区切りは、基本的に役者か矢印を中心にした固まりである。

# 第七章

イコール文

　ここまでずっと「基本形」にこだわってやってきましたが、たったひとつ、基本形の矢印がイコールに変化する文の形があります。
　この文の形は基本形に次いでポピュラーで、この「イコール文」と「基本形」の文で、英語の90%はカバーされていると言えるでしょう。

A=B

　図で表すと、基本形が下の形であるのに対して、

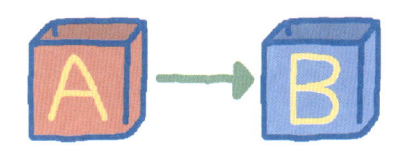

イコール文というのはこういう形をしています。

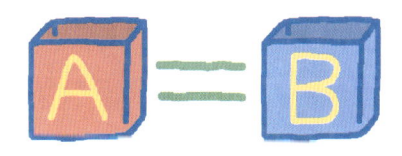

　つまり、主役の箱と脇役の箱に入っているものはまったく同じだけれど、その呼び方が違うという文です。例えば、両方に猫を入れてみましょう。

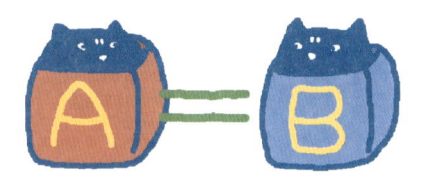

まったく同じ猫ですが、左側は普通に「猫」、右側は「大きくて太った動物」と呼んでみましょう。これを文で表現するとこうなります。

The cat is a big fat animal.

お気づきのように、イコールの位置には **be** の変形である **is** が入っています。**be** とその変形にあたる単語群は、数ある英単語の中でも、もっとも頻繁に用いられる単語のひとつです。

be は「いる、ある」などと訳されることが多いのですが、これは必ずしも正確な訳とは言えません。正確な訳は「存在する」になります。ただ、日本語にした場合、「存在する」という概念は大変大げさなもので、日常会話に用いると不自然になるため、「ある」や「いる」で置き換えられることが慣例になっています。

しかし、この **be** という単語は、そこに「ある」という偶発的な意味ではなく、あくまでそこに「積極的に存在する」ことを意味している単語です。

例えば **He is.** という文は普通に考えれば成り立たない文ですが、ちゃんと「存在する」で訳せば、「彼は存在する」という大変強い意味を持った文章であることが分かります。

この登場回数の大変多い単語である **be** とその仲間たちが出てきたら、基本的にすべてイコールに置き換えて考えると便利です。例えば、

（猫は動物である。）

というように。

そして、これを図で表したものが、先に述べたイコールの文になります。

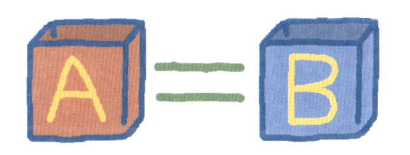

イコールのバリエーション

このほかに**A**→**B**の矢印がイコールになるような言い換えをいくつか一覧表にしてみましょう。

	主役（**A**）		脇役（**B**）
1	人間	=	ホモサピエンス
2	エド	=	人間
3	くまのぬいぐるみ	=	子供のおもちゃ
4	パイ	=	焼き菓子
5	猫	=	迷惑もの
6	猫	=	憎たらしい
7	猫	=	ちょっとかわいい
8	お母さん	=	優しい
9	先生	=	厳しい
10	英語	=	難しい

ここで注目したいのは6〜10の例です。1〜5は基本形の**A→B**の文の時と同じく、脇役の箱に役者が入っていますが、6〜10には「化粧品」が入っています。これがイコール文の最大の注意点で、**A→Bの時はBには必ず役者が入りますが、A＝Bの時にはBには役者以外に化粧品が単独で入る場合があります。**

　とにかく **be** とその仲間を見つけたら、ほぼ確実にイコール文であると考えてみて下さい。

　　　唯一の例外は、**be** のすぐあとに別の「動き」を表す言葉が続いた場合で、しかもそれが〜**ing** や〜**ed** で終わる形の時です。例えば、

The cat is playing with a ball.

（猫がボールで遊んでいる。）

　この場合、後ろの 〜**ing** で終わる単語と **is** は二つでひとつの矢印となっています。同様に **can** や **have** などが矢印にくっついている場合もあります。気をつけて下さい。

　このルールが難しくて混乱しそうな場合は、とりあえず忘れて先へ進んでもらってもかまいません。これも本来は読んでいく中で自然に気がつくはずのことで、敢えて先に憶えておく必要はないことですから。

　基本形とイコール文の二つを憶えておけば、英語でほぼ何でも言うこ

とができます。この二つの形だけはどうか頭にしっかり入れておいて下さい。

念のため、**be** の仲間の一覧を見て復習しておきましょう。

be の仲間
be　am　are　is　was　were　been　being

一人称がどれで、複数形がどれでと、いろいろややこしいことを教えられたと思いますが、今回は「読む」ために憶えているので、ただ **be** の仲間であるということが見分けられるだけで十分です。

どの主役の時にどれを使うとか、主役が複数の時はどれを使うとかは、意識して憶えなくても、やはり読んでいく中で自然に身に付いていくはずです。

最後に少数ですが、**be** のほかにいくつか、矢印ではなくイコールになる「動き」を表す単語が存在します。もっとも代表的なのが「〜になる」という意味の **become** です。ほかにも **be** や **become** によく似た意味を持つ言葉がいくつかありますが、数は決して多くはないので、それらも本を読みながら徐々に憶えていって下さい。

さあ、ここまでで英文読解の基本コースはだいたい終わりです。

> **この章のまとめ**
>
> ・**be** や **become** などが矢印の位置にある場合、その文はA＝Bのイコール文になる。
> ・A＝Bの時、Bには役者のほかに化粧品も入る。

第八章

カスタムアレンジ

生きている言語

　ここまでで英語の仕組みの説明はほぼ終了です。本来はこれ以上の説明は必要ありません。

　ただ、英語は発明されてから歴史が長く、その間にいろんな人が、この英語の基本形を使って、よりおもしろい英文が書けないかと実験を繰り返してきました。

　その過程で、いくつか標準として定着した例外的な使い方や並べ方も生まれて、今や英文のバリエーションは大変豊かに膨らんでいます。大抵の教科書ではこれらすべてのバリエーションをカバーしようとして、簡単な基本ルールさえも分かりにくくなってしまっています。

　例外や新しい言い回しは今こうしている間にも生まれ、どこかで広まっています。だから、それを必死になってカバーするのは終わりのない追いかけっこになるだけです。

　このようなバリエーションの誕生はどの言語にもあることです。日本語も例外ではありません。例えば近年「超」を広範囲にわたって使う新しい使い方や（「超すごい」）、疑問形の二重否定（「それってすごくなくない？」）など、変わった新しい表現が若者を中心に広まっています。こういったものまで日本語の初心者に教えれば、混乱を招くのは必至です。

　でも、日本の英語教育がやっていることは正にそれと同じことです。

　既存の英語教育で「仮定法」とか「形式主語」などと呼ばれている文の形はすべて応用表現のひとつです。つまり誰かが発明した変形バ

ージョンなのです。いろいろな応用表現を暗記していくよりも、英語の基本になっている「基本形」と「付録」の仕組みだけを頭にたたき込みましょう。全ての英文は、どれだけアレンジされていても、必ずこの基本形の変形に過ぎないので、やがて読めるようになってきます。

いきなりすべての文を理解しようとせず、ゆっくり上達していって下さい。

この章では実際に読み始める前に、そういった基本形の変形──この本では「カスタムアレンジ」と呼ぶことにします──で、もっともよく登場するものをいくつか紹介しておきます。

そんなものは実践の中で憶えていきたいという方は、この章をとばして、次の章からの実践に進んでいただいてもかまいません。

基本アレンジ1「否定」

文章は何も必ず物事を肯定的にとらえている場合ばかりではありません。「〜ではない」とか「〜とは言えない」というような否定の文は日本語にも多く存在します。英語ではこの否定の文を作るときに、**don't** や **didn't** が矢印の前に付きます。

この形を作る際には細かいルールがいくつかあるのですが、現在の目標は「読む」ことなので、難しいルールを憶える必要はありません。単純に否定の文を識別することを目指しましょう。

最初のうちは矢印の周辺に **no** や **not** や **never** があった場合は否定の文だというぐらいに憶えておきましょう。これで十分実用的に識別できるはずです。

（ちなみに上記 **don't** や **didn't** は、本来 ' のところに **o** が入るはずで、**do not** や **did not** の省略形です。これらももちろん **not** が含まれていますのでお見逃しなく！）

否定の文の場合は文全体に「〜でない」を付けて理解する必要があります。

基本アレンジ2「疑問」

疑問文はあまりに簡単な見分け方があるのであえてここに書きません。代わりにヒントをひとつ。

疑問文の最後には必ずほかの文には付いていない何かが付いています。

何か分かりますか？

ここからは上級アレンジになります。

もうすでに頭がパンク状態で、これ以上聞いてもあふれてしまいそうな方は、とりあえず上級アレンジをとばして、次の章にお進み下さい。すでにここまでが二周目、三周目の方、あるいは余裕のある方は、引き続き上級アレンジ編をどうぞ。

上級アレンジ1「代役」

代役というのは、本来主役になるはずの役者があまりにも複雑で長い内容のため、代わりに主役の位置に座っている役者のことです。

例えば、「エドの経営する焼き菓子屋さんがそれほど売り上げがよく

ないのを知ること」というのを主役にしてイコール文を作り、**B**の箱には「悲しい（**sad**）」を入れたとします。この主役を英語にすると、「**to know that the bakery Ed is managing is not doing very well**」になるので、普通にこれを**A**の主役の箱に入れ、イコール文として**B**の箱に **sad** を入れたなら、こういう文が出来上がります。

To know that the bakery Ed is managing is not doing very well is sad.

（エドの経営する焼き菓子屋さんがそれほど売り上げがよくないのを知ることは悲しい。）

```
| To know that the bakery Ed is managing is not doing very well | = | sad. |
                               A                                         B
```

　これは文法的にも意味的にもまちがってはいない文ですが、特に口頭で聞くと、極端に分かりにくい文になってしまいます。
　そこで、主役の代役に英語で一番シンプルな単語のひとつである「**it**」を使ってみましょう。長い主役を丸ごと**A**に入れる代わりに、**A**には It 一語を入れて、本当の主役は文のあとに付けてしまいます。こういう形です。

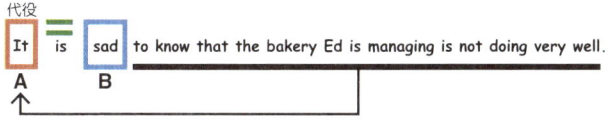

```
    代役
| It | = | sad | to know that the bakery Ed is managing is not doing very well.
  A       B
```

英語ではこういう実に便利な芸当が可能です。文章中にこういった形の文が出てきた時に、「ああ、代役を使っているな」と分かれば十分です。

上級アレンジ2「脇役なし」

　他の上級アレンジに比べるとある程度頻繁に見かけることのできるアレンジが、この「脇役なし」という形です。これは文字通り、脇役のいない文です。

　基本形の**A**→**B**という文で、まれに**B**が存在しない場合があります。これは矢印の動作が主役一人で行えることで、相手が必要ないものだった場合です。

　例えば「歩く」「ジャンプする」「笑う」などといった単語は、相手も道具もなく行える動作です。主役が一人で、裸で、何も持たず、どこでもできる動作です。こういう場合、入れたくても**B**の箱に入れるものがありません。それで必然的に**B**の箱が消えてしまうわけです。図で示すとこういう感じになるでしょうか。

The cat jumped.
（猫はジャンプした。）

　当然、このような「脇役消失文」の場合、「付録」は矢印のすぐあとに付きますので、気をつけて下さい。

第八章 ● カスタムアレンジ

A ↩ +付録

The cat jumped over the fence.
(猫は塀をとびこした。)

上級アレンジ3「＝脇役2」
上級アレンジ4「／脇役2」

難　この二つのアレンジは英文で一番複雑だと言っていいものです。気を引き締めていきましょう。この二つのアレンジは基本形のあと、どちらももうひとつ**B**の箱が付きます。その二つ目の**B**の箱が一つ目の**B**の箱と同一の存在か、並行の存在かで、アレンジ3か、アレンジ4かが決まります。まずは同一の場合、つまり**B**＝**B'**のアレンジから見ていきましょう。

A → B ＝ B'

　前章でイコール文という**A**＝**B**の形を紹介しましたが、ここでは**B**＝**B'**です。ここで**B**に入るのは「**A**＝**B**」の時の**B**に入るものと同じく、役者、もしくは化粧品です。例えば次のような文がその例です。

The cat made Ed angry.
(猫はエドを怒らせた。)

```
The cat  made   Ed      angry.
   A       B     B'
```

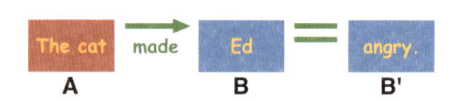

The cat made Ed までが基本形です。しかし、これで文章が終わってしまうと、「猫がエドを作った」という奇妙な文章になってしまうので、二番目の**B**の箱を必要ない「付録」として見過ごすわけにはいきません。**B'**は**B**と＝で結ばれているため、**Ed＝angry** となり、「エドが怒っている」ことが分かります。ここで猫が **made** したのは「エドを怒った状態」に **made** したのです。

この文の形は極めて少なく、矢印に入る「動き」はだいたい決まっているので、矢印のところを見れば、このアレンジだとすぐに分かります。このアレンジに用いられる「動作」は以下のようなものです。

> 「＝脇役2」になる「動き」
> make　hear　see　sell　name

ここでの **name** は「名前」という役者ではなく「名付ける」という「動き（矢印）」の方です

次に上級アレンジ4「／脇役2」ですが、これも「＝脇役2」同様、あまり出現率の高くない文章です。これは脇役がもうひとつ増えて、主役が両方の脇役に対して矢印の「動き」を行う場合です。つまり、動きの作用はこう：

```
A → B ⋯▶ B'
```

ではなく、こうです：

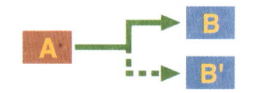

```
      ┌─▶ B
A ────┤
      └⋯▶ B'
```

この典型的な例としては、こういった文章があります。

Ed sold Ms. Anderson a pie.

（エドはミズ・アンダーソンにパイを売った。）

　これも基本形の部分 **Ed sold Ms. Anderson** で終わってしまうと、とんでもない意味になってしまうので、そのあとの「**a pie**」が付録ではなく、第二の**B**の箱として扱われています。矢印 **sold** は **Ms. Anderson** と **a pie** の両方にかかっています。「誰に」sold したかというと「**Ms. Anderson**」で、「何を」sold したかというと「**a pie**」です。

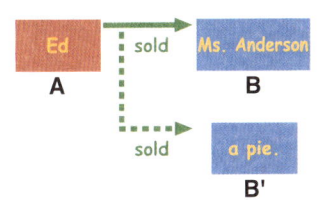

　このように二番目の**B**が存在するかどうかの判断基準は、基本形の部分で文が成り立っているかどうかを考えることです。あまりにも奇妙な意味になってしまった場合には、二つ目の**B**の存在を疑ってみた方がいいでしょう。また二つ目の**B**が見つかったら、それが「＝脇役2」になるか「／脇役2」になるかは**B**と**B'**の関係にさえ注意すれば簡単です。

アレンジ3「＝脇役」

Ed made the cat ＝ angry.
　　猫 ＝ 怒っている

アレンジ4「／脇役」

Ed made the cat ≠ a pie.
　　猫 ≠ パイ

上級アレンジ5「and接続文」

　これも上級アレンジとしては比較的登場回数の多いものですが、決して難しいものではありません。小説などではよく出てくる形ですので、憶えておいて損はありません。

　物語などで人物の動きを追う場合、主役が立ち上がって、そしてさらに走り出すというように、続けて二つ以上の動作を行うことがよくあります。しかし、英文ではひとつの文章ではひとつの矢印（動き）しか使えません。そのため、文章を分けて書くと、とてもだらだらした感じになって、キャラクターが素早く動いているように見えません。

　実際に分けて書いてみると、こんな感じになります。

Ed stood up.
(エドは立ち上がった。)

Ed started to run.
(エドは走り始めた。)

そこで、一気に立ち上がって走り出す感じを出すために、二つの文を組み合わせてひとつにしてみましょう。

二つの文を組み合わせるために用いる単語には数種類ありますが、代表的なのは **and** です。**and** で二つの文を組み合わせてみましょう。

Ed stood up and Ed started to run.

これでも特に問題はないのですが、**Ed** が二度出てきてしまうので、多少不格好です。二度目の **Ed** は消してしまいましょう。

Ed stood up and started to run.

このように主役が同じ文を、二つ以上組み合わせることが可能ですが、その際、重なっている二度目の主役を取り払うと読みやすく、テンポのいい文になります。主役が重なっていない場合は両方の主役が残ってい

るはずです。

　このような様々な英文のアレンジは今日も増え続けています。言葉は生き物で、本来はルールも文法もなく、慣例のみが存在するものです。様々な作家が新しい実験と共に、その効果を探りながら、日々文章をアレンジしています。アレンジをしているのは何も作家ばかりではありません。一般の人々も日常会話の中で自分独特の言い回しや、民族特有の単語の使い方などを増やし続けています。

　この本では長い歴史の中で少しずつ増え続けてきた英語のルールから、もっとも基本的なルールだけを紹介してきました。ここまで学んできた基本ルールが、英語の根幹を成す部分だといえるかと思います。一旦、この基本構造をマスターしたなら、あなたも独自にアレンジを始めていいのです。

この章のまとめ

・英文はいろいろとアレンジができるが、すべては基本形の変形に過ぎない。

途中まではけっこう分かっていたのに、
どうも途中から見失ってしまったという方は、
第五章（▶p.43）へ戻ってここまでをもう一度。

今の第八章以外はだいたい分かったという方は、
とりあえず一旦、第八章の内容は忘れて、
このまま進んで下さい。

それ以外の方も
このままページをめくって下さい。

第九章
文を読む

　さて、いよいよ実践に突入するわけですが、その前にレベル別に、英語を読む上での目標を頭に入れてから始めましょう。

　［最初に読む時に］
　区切りに気をつけて、声に出して読んでみる。

　［二回目読む時に］
　矢印になる単語がすぐに分かるように読む。

　［三回目読む時に］
　どの役者がどの化粧品や化粧文を背負っているかを見極める。

　［四回目読む時に］
　特殊な形の文に注目して、基本形をどう変えたらこの文になったのかを考えながら読む。

　［五回目以降読む時に］
　第十章、第十一章をよく読んでから、「特別な化粧品」と「接着剤」に気をつけて、英文の微妙なニュアンスを読みとる。

無視するという選択

これらの点に気をつけながら、現在の自分のレベルに合わせた読み方をしていって下さい。

そして、これはこの本の中の文章だけでなく、この本を終えて一般書へ進むときにも言えることですが、本を読む目的は英語の勉強のためではありません。むしろ英語を勉強するのは、本を読むためです。

「本を読む」のはあくまで楽しんで読書をするためです。それはどんな本でも変わりありません。分からない単語があったときでも、できるだけ辞書を引かずに文章の流れを追ってみましょう。乱暴に思えるかも知れませんが、分からない単語が出てくるたびに毎回辞書を引いていたら、おもしろい本もおもしろくなくなってしまいます。

繰り返しになりますが、**基本形の部分以外は分からなくてもいいのです。**基本形の中の部分でも、化粧品や化粧文なら分からなくてもそれほど問題はありません。

意味が確実に分からなくてはいけない単語は、主役と脇役と矢印の三語ぐらいです。幸い、この三つに難しい単語はあまり来ません。また、この三つの中に分からない単語があっても、辞書を引くよりも前後の文脈で判断したり、想像をふくらませて意味を当ててみて下さい。知っている単語に似たようなものがあれば、それと比較して考えてみて下さい。

そして、それでもだめなら、**最後の手段は無視することです。**

一つや二つの文が分からないからといって、物語が分からなくなるというものではありません。もし、あまりにも頻繁に無視するものが出てくるなら、それはその本が現在の実力を少し上回っているというだけのことです。その場合は少しレベルを落として、別の本を読んでみて下さい。

学校で習ったこととは多少違うかも知れませんが、ここで目的になっているのは「英語の勉強」ではなく、英語という言語を身に付けること

です。どうか「憶える」ことよりも「読む」ことを重視して下さい。

　ここから先の英文はすべて色分けした上で、少しでも分かりにくいと思われる単語にはルビで日本語を振ってあります。参考にしながら読んでみて下さい。完全訳はあえてどこにものせていません。

基本形の文

　まず典型的な基本形の文をいくつか見ていきましょう。

The cat likes pies.

　基本形のみの、もっともシンプルな文です。

The cat sees Ed's pie.

　これも同様に、シンプルな文です。「名前＋'(アポストロフィー)＋s」で「誰々の〜」という化粧品になるので、ここでは「エドの」パイです。

The cat forms a plan.
（forms=形作る、plan=計画）

　ここでの猫の「計画」はまだ分かりません。ぼんやりとした「あ

る計画」に過ぎません。だから「特別な化粧品」は **the** ではなく、**a** の方を用います。(第十二章を参照)

Ed spots the cat from the counter.
(spots: 見つける)

矢印 **spots** は文字通りスポットライトが当たる感じで「見つける」というイメージの矢印。この文は基本形＋付録の形式で、付録の種類は「場所」。

The cat snatches the pie quickly.
(snatches: ひったくる / quickly: 素早く)

矢印 **snatches** は非常に勢いのある動き。一瞬でひったくるイメージです。この文も基本形＋付録。付録は「どのように」。

イコール文

今度は矢印がイコールになる文を何パターンか見ていきましょう。

このパターンも英文では基本形に次いで頻繁に登場します。特に物語では増える傾向があるので、小説を読み始める前にしっかりマスターしておくことが大事です。

The pie is a blueberry pie.

典型的なイコール文です。

最初のパイに「**the**」がついているのは、ある特定のパイをいくつかのパイの中から意識して、「それはブルーベリーのパイだよ」と教えている文だからです。

blueberry は本来単独の「もの」なので、役者にもなれる単語ですが、この場合は「ブルーベリーの」という化粧品として使われています。

It is the cat's favorite pie.

It は前の文の **blueberry pie** のことです。

この文では「猫の〜」という形で再び「名前＋**'**（アポストロフィー）＋**s**」の化粧品が登場しています。

The cat seems very happy.

be 以外の矢印による初のイコール文です。第七章で、**be** は＝に置き換えて考えると良いと述べましたが、ここでの **seems** のように、イコール文になる **be** 以外の矢印の単語は≒（ほぼイコール）に置き換えて考えると分かりやすいかと思います。この場合は **the cat ≒ very happy**。

Ed is not happy.

　イコール文と、基本アレンジ1の否定文が混ざった形です。「エド＝うれしくない」なのですね。

He is about to explode. (爆発する〈キレる〉)

　He はもちろんエドです。**explode** は本来「爆発する」という意味ですが、人間に使われたときには「感情が爆発する」という隠喩となります。
　「**about**＋**to**＋動き」で「何々寸前」という意味になります。

否定の文

　次はカスタムアレンジの文です。まずは基本アレンジのものから。

Ed can't find the cat.

　can't は **can not** の省略形です。**not** が入っているので否定の文です。矢印「見つける」は「見つけられない」に代わります。それ以外はごく普通の基本形の文です。

The cat is not in the shop.

　これも **not** があるので否定の文ですが、ちょっと **not** をとってみましょう。すると **The cat is in the shop**.（猫は店の中にいる。）となって、矢印が **be** であることから一見イコール文に思えますが、**in the shop** は「店の中に」というただの「場所」を表す付録です。「**A＝**」という形は存在しません。したがって、この文は**A⤴**の文で、**is** は「いる」「ある」という意味だと分かります。

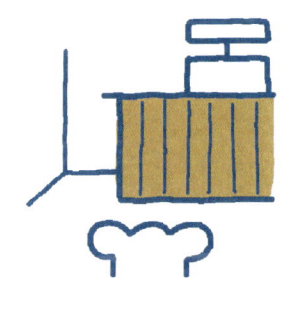

　つまり、これは**B**の箱がない「**The cat is＋付録**」という文の否定になります。

Ed has nothing to sell.
<small>売ること</small>

　後半の **to sell** は **nothing** に付く化粧文ですが、この **to** という単語は英文の様々な局面で頻繁に登場します。既存の文法ではこの **to** の様々な用法をすべて別々の種類として扱っていますが、それだととても難しくなってしまうので、読む段階では、**to** はすべてひとつの記号に置き換えて考えると分かりやすくなります。それはこういう記号＞です。

　これはつまり、**to** の左側の部分が右側の単語に向かっているということです。文章の「矢印」ほど強い動きではないのですが、左側を受けて、「これ、これ。これについてだよ」と右の部分を指している記号だと考えると、**to** という単語の役割が見えてきます。

例えば **going to Tokyo** という場合だと **going**＞**Tokyo** で「**go** するのは東京に向けて」ということ。**want to play** だと **want**＞**play** で **want**（ほしい）のは何か？　「遊ぶこと」と **to** が指し示しています。ここでの場合は **nothing**＞**sell**。ないものは何？＞「売るもの」ということを指す **to** です。

英語には **to** を初めとして、**on**、**at**、**in** など、こういう記号的な意味を持つ短い単語がたくさんあり、それらを様々な単語と組み合わせることで、いろいろ微妙なニュアンスの熟語を作ることができます。

これらの単語はこの本の中では「接着剤」と呼んでいます。**to** やそのほかの接着剤についての詳しい説明は第十三章にありますが、他の部分に比べて内容が難しいため、今すぐ読むことはお勧めしません。今のところは **to** は＞に置き換えて考えるというぐらいに憶えておいて下さい。これから **to** が例文中にたびたび登場します。注意しながら読んでいって下さい。

疑問の文

"Where are you, cat?"

典型的な疑問の文です。

文の最後にコンマを振って、その後に単語一個か二個を付け足す形は疑問の文にはよく見られます。これは本文とは別に強調したい部分がある場合に使う手法で、コンマで事実上最初の文は終わっているため、コンマの後は独立したもうひとつの文だと考えてもいいかも知れません。ただし、ここでは二つ目の文はただ名前を呼んでいるだけの文です。

第九章 ● 文を読む

"Would you like some delicious(おいしい) cat food?"

　これも疑問の文の典型的な形ですが、**would** での呼びかけは少し敬語的な意味合い、または子供への呼びかけの意味合いを含んでいます。非常に丁寧かつ優しい言い回しといえます。

Where is the cat?

　俗に5W1Hと呼ばれている **when**（いつ）、**where**（どこで）、**who**（誰が）、**what**（何が）、**why**（なんで）、**how**（どうやって）の五つの単語は人間の持つ基本的な「疑問」を形にした便利な単語です。

　この文章を疑問の文になる前の形に戻すと、**The cat is where.** という通常のイコール文になりますが、この形で5W1Hの単語が使用されることはありません。

B 消失文

The cat jumps(飛び上がる) up on the roof(屋根).

ここでの矢印は **jumps** ですが、**jump** にもいくつか種類があります。

　「歩く」と言って、かに歩きや後ろ向きに歩く姿を想像する人はいませんが、「跳ぶ」の場合は「跳び上がる」のを想像する人もいれば、「跳び降りる」のや「横っ跳び」や「跳び越える」を先に想像する人もいるはずです。

　英語ではこういった複数の動作にとらえられがちな動きには、後ろに補足する「接着剤」を付けて意味を分かりやすくします。この場合は接着剤 **up** がついて、「跳び上がる」の意味になっています。つまり、どこか低いところから高いところに上がる動作を含んだ **jump** です。

　「跳び上がる」は特に対象相手がいらない動きです。一人で十分行えます。道具も必要ありません。そのため、ここでは**B**が消失しています。すぐあとの **on the roof** は場所を示す付録です。

　ややこしいのは接着剤が前の矢印についているのか、後ろの付録に付いているのかを見分ける方法が特にないことです。日本の英語教育ではこういった矢印＋接着剤の単語を「熟語」としてセットで憶えることを推奨していますが、これはいくら憶えてもキリがありません。というのも、「熟語」と呼ばれるものは、矢印に無理やり接着剤を付ければいくらでも新しいものが作れるからです。無理に暗記するよりも、文章の流れの中で判断してみて下さい。

（この本の中では混乱をさけるために、矢印と接着剤はすべて切り離して考えています。もし分かりにくかったら、一旦、接着剤を消して考えてみてください）

　日本語でも「上げる」という単語をほかの動きの後ろに組み合わせることがありますが、よく知られている組み合わせである「読み上げる」や「引き上げる」など以外にも、実際この本の第六章で一度使った「訳し上げる」のような造語を瞬間的に作り出すことも可能です。

　この「訳し上げる」という言葉は辞書にはありませんが、意味が分か

らない人は少ないと思います。英語もこれと同じで、いくらでも造語が作れます。

　特に接着剤は造語作りにはもってこいの材料なので、組み合わせを全部憶えようというのは無茶と言えるかもしれません。それに記憶の在庫にだけ頼っていると、実際に自分で英語を使うときに造語を作る楽しみがなくなってしまいます。言語の楽しみの半分は、基本形をマスターしたあとに、それをカスタムアレンジして使っていくことにあります。これだけは丸暗記では決してできない楽しみなのです。

　最後にひとつだけ。

　jump は単体の場合、少し上にぴょんと飛び上がったようなイメージの単語として使われます。単独で使われる場合は動作というより、「驚き」を表す比喩として使われる場合の方が多いかもしれません。(例：**The ghost made Ed jump**. ／お化けはエドをとび上がらせた。)

The pie falls（落ちる）from the cat's mouth.

　こちらは矢印が「落ちる」です。「落ちる」のは猫ではなく、猫がくわえているパイです。厳密に言えば、パイには意志がないので、猫が「落とした」というのが本当ですが、ここではパイの視点から出来事をとらえています。猫の視点からとらえたなら、**The cat drops the pie**（落とす）. となります。

　from the cat's mouth は、ここでは「場所」の付録です。

and連結文

The pie rolls down the roof and drops on Ed's face.
(転がり落ちる)

この文はもともと、
The pie rolls down the roof.
The pie drops on Ed's face.
の二つの文を **and** で連結させたものです。

ちなみに **down the roof** も **on Ed's face** も、両方とも「場所」の付録なので、この二つの文は両方「**B消失文**」になります。

Ed shakes his head but the pie does not come off.

これはさらに応用形で、主役の違う二つの文を **but** で結び合わせています。もともとはこの二つの文です。

Ed shakes his head.
The pie does not come off.

主役それぞれが違うので、**but** を間に入れただけで、あとの文章の主役が消えるということはありません。二番目の文はやはり「**B消失文**」ですが、**does not** が付いて否定の形になっています。

A→B/B'

The cat shows Ed an ugly grin.
<ruby>醜<rt>みにく</rt></ruby>い笑み

　ここでの矢印「見せる」には脇役が二つ付く可能性があります。つまり、誰に見せたかと、何を見せたかです。もちろん片方だけでも文は成り立ちますが、こうして両方を並べると、**B**の箱が二つ並んだ形の文が出来上がります。つまり「エドに（誰に）」「醜い笑みを（何を）」見せたという二つの脇役の箱です。

Ed tells the cat, "I'll get you!"

　これもまったく同じで、「言う」は「誰に」と「何を」を両方脇役として付けられます。ただ、この文の場合に特徴的なのは、二番目の脇役の箱に入る「何を」が、丸ごとひとつのセリフの引用になっていることです。

A→B＝B'

The cat makes Ed furious.
（激怒した）

　この形の文はひとつ前の**B**の箱二つの形に良く似ていますが、向こうは矢印が両方の**B**の箱にかかるのに対して、こちらは矢印はあくまで基本形と同じく、最初の**B**の箱にしかかかりません。

　では、二番目の**B**の箱はどうなるかというと、これは最初の**B**の箱とイコールで結ばれます。こういうことです。

　A→B＝B'

　つまりこの文を上の形に当てはめると、「猫→エド＝激怒した」という感じです。

　このように、脇役側にさらに細かい動きを付けたいときに用いるのがこのアレンジです。ただ、こういった脇役に詳しい説明を付けるのは化粧品や化粧文でも可能な場合が多い上、そちらの方がずっと簡単なので、必然的にこの形はそんなに多くは登場しません。

Ed names the cat Big Fat Cat.
（名づける）

　ここでの矢印は「名づける」。そして「猫」＝「ビッグ・ファット・キャット」です。注目してほしいのは **Big Fat Cat** の頭文字がすべて大文字であること。これはつまり、この三つの単語の組み合

第九章 ● 文を読む

わせが、ただ猫が大きくて太っているというだけの役者と化粧品の組み合わせではなく、**Big Fat Cat** が名前だということを示しています。

二つの**B**の箱がイコールで結ばれれば、**A→B＝B'** のアレンジ、そうでなければ**A→B／B'**のアレンジというようにすぐに区別が付けられます。

代役の文

It was wrong to steal his pie.
　　　間違い　　　盗む

本来、**to**〜以下の「彼のパイを盗む」が主役の箱に入るべきものです。実際に入れてみるとこうなります。

To steal his pie was wrong.

これをより分かりやすい文にするため、主役は舞台裏に引っ込んで、代わりの代役 **It** が主役を演じてくれています。

It became known that Ed hated the Big Fat Cat.
　　　　　　知られた

この文での本当の主役は「**Ed hated the Big Fat Cat**」という「事実」です。ちなみにこの文全体は基本形ではなくイコール文で、**It＝known** です。誰に「知られた」かというのは、この文脈からだけでははっきり判断できませんが、おそらく町の人や周りの人に知られたのでしょう。

第十章

パラグラフを読む

　この章では文をいくつか集めた「パラグラフ」単位の文を読んでいきます。

　最初は部分的にルビだけを振ったもの、二度目は同じ文を色分けして解説を加えたものが掲載されています。

　ここからは物語的な要素が強くなってきますので、ぜひお話を読んでいるということを意識して読んでみて下さい。

　It is a nice day in Everville (エヴァーヴィル〈町名〉). The sun is high in the sky.
　Ed has been working hard (いっしょうけんめいに働く) since morning. Ed is the owner (オーナー) of the only bakery shop (焼き菓子屋) in town. The name of the bakery shop is Pie Heaven (「パイ天国〈店名〉」). Its specialties (自慢の品) are of course pies. Blueberry pies, cranberry pies, cherry pies and strawberry pies. Everyone likes them. In fact (それどころか), everything likes them. Even cats.

　Ed is happy when he is baking (焼く) pies. He becomes very happy when somebody tells him they are good. The bakery is doing good buisness (商売が順調). Ed loves his work.

　Just one thing is his worry (心配事).

　The big fat cat that loves his pies.

第十章 ● パラグラフを読む

When Ed is not watching(見ている), the cat sneaks(こっそり通る) through the door and steals(盗む) his precious(大切な) pies. Sometimes the cat comes twice(二度) a day. Ed is very angry(怒っている) at this cat. Yesterday, the cat dropped(落とす) a pie on top of him from the roof(屋根). Ed's hair still smelled(まだ臭う) like blueberry after two showers.

Ed was determined(決意する) to fight the cat. He will never give up.

解説

It is a nice day in Everville(エヴァーヴィル(町名)).

A＝B　いきなりで申し訳ないのですが、これはちょっと特殊な文です。物語の先頭などに良く出てくる文なので、敢えてここで使ってみました。普通の It は既出の単語かフレーズの代役をしているはずですが、ここでの It は文全体の先頭に位置しているので、何の代役にもなれません。このように「天気」や「時間 (It is three o'clock.)」を表す文では it を主役として使います。

　　エヴァーヴィルは町の名前なので大文字です。

The sun is high in the sky.

A－B　典型的なイコール文です。物語の冒頭やナレーション部分ではイコール文が続く傾向があります。

　　in the sky は漠然としてはいますが、れっきとした「場所」の付録です。

Ed has been working hard since morning.

A⤴ has been working が矢印で、hard が「どのように」、since morning が「時間」の付録です。

Ed is the owner of the only bakery shop in town.

A＝B　脇役の中心は owner で、あとは化粧文です。

The name of the bakery shop is Pie Heaven.

A＝B　主役の中心は name であとは化粧文です。Pie Heaven が大文字なのは店の名前だからです。

Its specialties are of course pies.

A＝B　Its（それの）は Pie Heaven のことです。この文ではリズム感をおもしろくするために「どのように」の付録（of course）を矢印のすぐあと、脇役の前に入れてしまっています。本来なら文の前に来るのが普通です（Of course, its specialties are pies.）。これも英語ならではのひとつの「カスタムアレンジ」です。このようにいろいろ工夫していくのが英語の楽しさでもあるのです。カスタムアレンジの文章を見たら、「なるほど、そう来たか」と思って楽しみましょう。

Blueberry pies, cranberry pies, cherry pies and strawberry pies.

(A→)B　これは完全な文ではありません。小説ならではの表現ですが、前の文の「パイ」を受けて、その例を羅列しているだけです。前の文で脇役の箱に長くて入らなかったものを別個の文にしたというわけです。

Everyone likes them.

A→B　このパラグラフ初の基本形です。

In fact, everything likes them.
<ruby>それどころか</ruby>

A→B　ひとつ前の文とまったく同じ形。文頭に付録がついただけです。them は二つ前の文のパイ全部の代役です。

Even cats.

A(→B)　インパクトを狙った不完全な文です。本来なら Even cats like them. となるはずの文ですが、前に似たような文があるため、重なっているところを消して、より強調したいところだけを目立たせたというわけです。これも小説で大変よく使われる手法です。

Ed is happy when he is baking pies.

A＝B　「when he is baking pies（パイを焼いているとき）」はもちろん「時間」の付録です。

He becomes very happy when somebody tells him they are good.

A＝B　1の文と同じですが、イコールが become のパターンです。when 以下はすべて「時間」の付録。

The bakery is doing good buisness.
（商売が順調）

A→B　do good business で「商売繁盛」という意味になります。矢印は is doing です。

Ed loves his work.

A→B

Just one thing is his worry.
_{心配事}

A＝B　one thing は「ひとつのこと」。Just はそれに付く化粧品。「ただひとつのこと」。

The big fat cat that loves his pies.

A(→B)　またまた不完全な文です。前の文の one thing を具体的に書いています。この文をそのまま前の文の主役に置き換えてもいいのですが、あまりにも長いので、こういう形を取って、同時にインパクトも演出しています。

When Ed is not watching, the cat sneaks through the door and steals his precious pies.
_{見ている　　　こっそり通る　　盗む　大切な}

and連結文（A⤴ and A→B）　本来この文は二つの文です。つまり、The cat sneaks through the door. と The cat steals his precious pie. なのですが、主役 cat が同じなので and で連結させています。文頭の When Ed is not watching はもちろん「時間」の付録です。

Sometimes the cat comes twice a day.
_{二度}

A⤴　実際には cat と comes だけの文です。Sometimes、twice a day、共に「時間」の付録です。

Ed is very angry at this cat.
_{怒っている}

A＝B　at this cat は「どのように」の付録です。

Yesterday, the cat dropped a pie on top of him from the roof.
_{落とす　　　　　　　　　　　屋根}

A→B　on top of himとfrom the roof はひどく小さなスケールですが、

やはり「場所」の付録です。

Ed's hair still smelled like blueberry after two showers.

A⤴　still は「どのように」の付録です。今回は矢印の前に置いて強調されています。

　ここでの like は矢印ではなく、化粧品の like なので、「好き」という意味ではなく、「〜のように」という意味になります。

　after two showers はちょっと変わった「時間」の付録です。「シャワーを二回浴びた後も」ということです。

Ed was determined to fight the cat.

A→B　to 以下「猫と戦う」が脇役になっています。

He will never give up.

A⤴　矢印は will never give です。never は非常に強い形の否定で、「絶対に〜ない」が文全体にかかります。up が付くことで手を上げるイメージが矢印に加わり、転じて「降参」となります（第九章の「B消失文」の項目参照）。

Just before closing time, Ed heard the front door open. He glanced at the door from across the counter. No one was there. But the door was slightly open.

Ed reached for the frying pan on the counter. This time, he would protect his pie. Ed came out from the counter with the frying pan ready.

He saw the cat's tail. The cat was sniffing his blueberry pie.

"Aha! I got you!!"

Ed screamed and threw the frying pan. The cat jumped aside. The frying pan hit the blueberry pie. The pie flew into the air.

"No!"

解説

Just before closing time, Ed heard the front door open.

A→B＝B'　Just before closing time は「閉店間際」という立派な「時間」の付録です。

　二つ出てくる脇役はひとつめが front door、二つめが open です。そして、この二つの脇役はイコールの関係にあるので、door＝open でドアが開いている状態にあることを表しています。さすがに普通に閉まっているドアを「開く」ことはできません。

He glanced at the door from across the counter.

A→B　矢印は glanced です。脇役は「at the door」。「at the door」は一見「場所」の付録に思えますが、ここでは He が「at the door」にいるのではなく、He が「at the door」を「glance」しているので、脇役となります。「from across the counter」は「場所」の付録です。

No one was there.

A⤴　そこには誰もいなかったわけですが、英語はどうしても主役が必要なので、そこで「no one」、つまり「いない人」の登場です。「そこにはいない人がいました」という実におもしろい言い回しで、誰もいないことを表現しています。

　there も「そこ」という「場所」の付録です。

But the door was slightly open.

A＝B　slightly は「どのように」の付録です。

Ed reached for the frying pan on the counter.

A⤴　ここで用いられている動きを表す単語「reach」は何かに向かって「手を伸ばす」という単語ですが、手を伸ばしてそのものに「届いた」場合と、まだ「届いていない」場合で扱いが違う不思議な単語です。ここでは「フライパンに向かって」手を伸ばしているだけで、まだ届いていません。つまり、この時点では、まだこの動作はエドがひとりでできるもので、文の形はA→（＋場所の付録×2）になっています。しかし、これが目指す物体に届いていたら、その物体なしでは文が成り立たないため、A→Bの文になります。参考のため、下に「届いた」例をひとつ挙げておきます。

Ed reached the goal.（エドはゴールに到達した。）

This time, he would protect his pie.

A→B This time は「時間」の付録。would protect が矢印。

Ed came out from the counter with the frying pan ready.

A↶ 矢印は came。out from the counter は「場所」、with the frying pan ready は「どのように」の付録です。

He saw the cat's tail.

A→B 物語が動き始めると、やはり基本形が増えてきます。

The cat was sniffing his blueberry pie.

A→B 矢印は was sniffing。sniff は人間にも使いますが、実に猫らしい動きです。

"Aha! I got you!!"

A→B 初のセリフです。最初の Aha! はただのかけ声です。「ひらめいた！」とか「やった！」などというような場面でよく出てきますが、現代では小説の中だけの話で、現実に使うのは主に年輩の方だけです。こういうコミカルな物語ではいい味になるのですが……。

Ed screamed and threw the frying pan.

and連結文（A↶ and A→B） 連続した動作で、主役も一緒なのでandで連結されています。元の文は Ed screamed. と Ed threw the frying pan. です。「screamed」ですが、この場合、文字通り「悲鳴をあげた」ということではなく、ひとつ前のセリフを悲鳴をあげるような高い声で叫んだということです。

The cat jumped aside.

A↶　aside は「場所」の付録です。

The frying pan hit the blueberry pie.

A→B　生き物ではない「物」が主役の文です。

The pie flew into the air.

A↶　into the air は「場所」の付録です。

"No!"

　エドのセリフです。文ではありません。

Ed cried out, but it was too late.

The blueberry pie fell on the floor. The cat saw this and was very fast. Before Ed could do anything, the cat took the pie and ran for the door. Ed threw the frying pan at the cat again. And missed the cat once more.

The frying pan shattered the front door glass. Ed almost fainted.

解説

Ed cried out, but it was too late.

but連結文（A⤴ but A＝B）　Ed cried out. と It was too late. という二つの文が but で連結された形です。このような素早く動くシーンでは and 連結文が多用されがちです。

　cried は前のセリフを泣きそうな悲壮な声で叫んだということです。

　二番目の文の it は、この章の最初に出てきた「天気」の文の「時間」バージョンで、特になんの代役でもありません。敢えて言うなら「時間」という単語の代役です。

The blueberry pie fell on the floor.

A⤴　on the floor は「場所」の付録です。

The cat saw this and was very fast.

and連結文（A→B and A＝B）　The cat saw this. と The cat was very fast. が and でつながれています。やはりスピード感を出すための処置です。

　this は前の文全体の代役を務めています。

Before Ed could do anything, the cat took the pie and ran for the door.

and連結文（A→B and A↩）　The cat took the pie. と The cat ran for the door. の二つの文の連結です。連結文が続いて、よりスピードを上げていきます。for the door は「場所」の付録、Before Ed could do anything は「時間」の付録です。

Ed threw the frying pan at the cat again.

A→B　at the cat は「場所」、again は「どのように」の付録です。

And missed the cat once more.
<small>はずす　　　　　もう一度</small>

(A)→B　前の文とこの文は本来 and で連結された文のはずです。しかし、後の文を前の文よりも強調して、Ed が No! と叫んでからの一連の速い動作を締めくくる意味でも、敢えて and の前にピリオドを入れて、一旦文を終わらせてから二番目の文を出しています。「そんなのあり？」と思うかもしれませんが、「あり」なのです。英語は好きにアレンジしてこそおもしろいのです。

　once more は「どのように」の付録です。

The frying pan shattered the front door glass.
<small>粉々にする</small>

A→B　おそらくガラス張りのドアのガラスの部分を破壊してしまったものと思われます。

Ed almost fainted(気絶する).

A ↩ almost は「どのように」の付録です。もちろん本当に気絶したわけではなく、どちらかといえば適切な訳は「気が遠くなった」という感じでしょうか。

第十一章
物語を読む

　この章ではいよいよ小さな物語を読んでいきます。形式はパラグラフの章と同じです。まず、訳語を上に振った本文が一度掲載されています。続いて、今度は色分けされ、文ごとに解説された本文がもう一度続きます。

　まずは一回目の解説のない方で読んでみて下さい。もしあまり問題なく読めるようなら、解説はとばしてしまってもけっこうです。

　最初から解説を見ながら読むことだけは絶対にしないで下さい。

　物語を分解して解説することは、その物語が持つ「魔法」を奪ってしまうことでもあります。もしどうしても分からないところがあれば、その部分だけを参照してみて下さい。

　解説にいろいろなことが書いてありますが、それを知らなくても意味が分かれば、それでいいのです。無理に知る必要はありません。あるいは解説を読んで、逆に混乱してしまうこともあるでしょう。

　大切なのは内容が分かることであって、文の構造を探ることはあくまでそこへたどりつくためのプロセスです。楽しんで読んでいただければ幸いです。

THE BIG FAT CAT

by Teddy Mukoyama

"Now, that is a good idea!"

Ed said, admiring his new front door. The shattered swinging door was replaced with a new glass door. This door had a doorknob. A cat could not open it.

All during the day, Ed watched the door. He wanted to see the cat surprised.

Ed was whistling when the cat finally appeared. The big fat cat came to the door as usual and leaned on it. But this time, the door didn't open. The cat frowned. It tried again. Once again, the door didn't open.

Angry now, the cat started scratching the door. But the door was made of glass. It was no use. The cat saw Ed laughing through the glass. It seemed very mad. But after a moment, it disappeared.

"Yes! Victory!"

Ed danced around with joy.

The cat came again that evening. It tried to open the door for more than ten minutes. But failed. It watched Ed for another ten minutes. The cat was very, very angry. It did not understand why the door did not open.

The cat came back every day for the next ten days. It never succeeded in opening the door. Ed laughed every time.

On the tenth day, the cat came for the last time. Ed watched it again. But this time, the cat didn't try the door. It just sat there watching the blueberry pie inside. Ed noticed that the cat was smaller. It was also very tired. And very sad.

Just once, the cat scratched the door weakly. It looked up to Ed with very sad eyes. Then, it left.

The cat didn't come back the next day. Ed thought that he had won. He was very happy at first.

But the cat didn't come back the next day, either. Nor the day after that. Ed became worried. He could not work. He just waited for the cat every day. But it never came.

On the fifteenth day, Ed closed the bakery at noon. He went outside to look for the cat. He searched around town but could not find the cat. Gradually, he became very upset. He remembered how the cat was tired. Maybe it had nothing to eat.

Ed searched everywhere desperately. He had no luck. The cat was nowhere. Maybe —— maybe it was already dead.

Discouraged and very tired, Ed came home. He was about to open the front door when he realized a weak purr. Ed looked around. There was no cat around. He went to the side of the bakery. There, beneath the pipe duct, the cat was lying in a small ball. It seemed very weak. When it saw Ed, it started to run, but couldn't.

The big fat cat was now a small thin cat.

Ed understood why the cat was there. It had been smelling the smell of the blueberry pie that was coming out from the pipe.

Ed looked down at the cat.

The cat noticed some blueberry stains on Ed's pants. It started to lick the stain. Ed sighed and picked up the cat. It wiggled but stayed in Ed's hands.

"You probably like my pie better than anyone."

Ed said. The cat purred.

Ed smiled and took the cat inside. The cat was a very small and thin cat, but Ed thought it would become a big and fat cat again after maybe five or ten blueberry pies.

And a new home.

第十一章 ● 物語を読む

解説

"Now, that is a good idea!"

A＝B　that は次文「new front door」の代役。まだ登場していないものの代役を先に出し、思わせぶりな演出をしています。

Ed said, admiring his new front door.
（見とれる）

A↩　admiring 以下は「どのように」の付録。

The shattered swinging door was replaced with a new glass door.
（粉々に砕けた）（取り替えられる）

A↩

This door had a doorknob.
（ドアノブ）

A→B

A cat could not open it.

A→B　否定の文。

All during the day, Ed watched the door.
（一日中ずっと）（見張る）

A→B

He wanted to see the cat surprised.
（驚く）

A→B　surprised は後ろに付いていますが、cat の化粧品です。

Ed was whistling when the cat finally appeared.
（口笛を吹く）（ついに現れる）

A↩

107

The big fat cat came to the door as usual and leaned on it.

and連結文（A⤴ and A⤴）　it は door の代役。

But this time, the door didn't open.

A⤴　否定の文。

The cat frowned.

A⤴

It tried again.

A⤴　本来は It tried to open the door again. でA→Bですが、前の文と重なっているところを省略してA⤴となっています。

Once again, the door didn't open.

A⤴　否定の文。

Angry now, the cat started scratching the door.

A→B　〜ing で終わる「動き」の単語が先頭にあるフレーズは「〜すること」と訳す場合が大多数です。ここでは「scratching the door」で「ドアをひっかくこと」。

But the door was made of glass.

A＝B　少し特殊な形です。made of glass（ガラス製）全体が脇役。詳しくは接着剤 of（p.159）を参照。

It was no use.

A＝B　直訳なら「それは使用できなかった」転じて「無駄だった」。

It は「scratching the door」の代役。

The cat saw Ed laughing through the glass.

A→B=B'　Ed=laughing。

It seemed very mad.

A=B

But after a moment, it disappeared.

A↩

"Yes! Victory!"

セリフなので、単語だけの不完全な文。

Ed danced around with joy.

A↩

The cat came again that evening.

A↩

It tried to open the door for more than ten minutes.

A→B

But failed.

(**A**)↩　本来は But It failed. (It は猫の代役)。2の文と but で連結しているはずの文を切り離して強調しています。

It watched Ed for another ten minutes.

A→B

The cat was very, very angry.

A=B

It did not understand why the door did not open.

A→B　why で始まるフレーズは「なぜ〜なのか」と訳します。ここでは「なぜドアが開かないのか」。否定の文です。

The cat came back every day for the next ten days.

A↩　矢印は came。後ろに付録が三つ付いています。

It never succeeded in opening the door.

A↩　never が付いているので強い否定の文。

Ed laughed every time.

A↩

On the tenth day, the cat came for the last time.

A↩

Ed watched it again.

A→B

But this time, the cat didn't try the door.

A→B　否定の文。

It just sat there watching the blueberry pie inside.
A⤴

Ed noticed that the cat was smaller.
A→B that 以下まるまるひとつの文が脇役となっています。「猫は小さくなっていた」という一文が脇役。

It was also very tired.
A＝B

And very sad.
(A＝)B 本来前の文に and で連結しているはずのものを、強調するために切り離しています。

Just once, the cat scratched the door weakly.
A→B

It looked up to Ed with very sad eyes.
A⤴ looked up で「見上げる」ですが、up が「どのように」の付録だと考えると分かりやすくなります。

Then, it left.
A⤴

The cat didn't come back the next day.
A⤴ 否定の文。

Ed thought that he had won.

A→B　ここでも that 以下、まるまるひとつの文が脇役。

He was very happy at first.

A＝B

But the cat didn't come back the next day, either.

A↺　否定の文。

Nor the day after that.

　　本来前の文に nor で接続しているはずのものを強調のために切り離しています。「the next day nor the day after that」が本来の姿。Nor（どちらも〜ない）は or の否定形。

　　that は「next day」。

Ed became worried.
（〜になる　心配な）

A＝B　否定の文。

He could not work.

A↺　否定の文。

He just waited for the cat every day.

A↺

But it never came.

A↺　否定の文。

第十一章 ● 物語を読む

On the fifteenth day, Ed closed the bakery at noon.
（正午）

A→B

He went outside to look for the cat.
（探す）

A↻

He searched around town but could not find the cat.

but連結文（A↻ but A→B）　最初の文章のBである「the cat」が重なっているため省略されています。二つ目の文は否定の文。

Gradually, he became very upset.
（徐々に）（不安な）

A＝B

He remembered how the cat was tired.

A→B　how で始まるフレーズは「どのように〜だったか」。ここでは「どのように猫が疲れていたか」。

Maybe it had nothing to eat.

A→B　「ない食べ物」を「持っている」と表現して「食べ物がない」。to eat は nothing の化粧文。

Ed searched everywhere desperately.
（懸命に）

A↻ または A→(B)　ここでは search している対象である the cat が再び省略されているため、どちらの形にもとれます。

He had no luck.
（運）

A→B

The cat was nowhere.

A⤴ nowhere は「場所」の付録。「どこにもないところ」にいると書いて、「どこにもいない」。英語は no 関係の単語がとてもおもしろい。

Maybe —— maybe it was already dead.

A＝B

Discouraged and very tired, Ed came home.
(がっかりして)

A⤴

He was about to open the front door when he realized a weak purr.
(気づく) (弱い 鳴き声)

A＝B

Ed looked around.

A⤴

There was no cat around.

A⤴　この文は本来、No cat was around there. という文ですが、物語的な言い回しを作るために、あえてひっくり返してあります。

He went to the side of the bakery.

A⤴

There, beneath the pipe duct, the cat was lying in a small ball.
(〜の下) (通風口) (横たわっている)

A⤴

114

第十一章 ● 物語を読む

It seemed very weak.

A＝B　ここでの It は猫。

When it saw Ed, it started to run, but couldn't.

but連結文（A→B but A⤺）　to run がひとつめの文章の脇役。二つ目の文は本来 it couldn't run で否定の文。

The big fat cat was now a small thin cat.
　　　　　　　　　　　　　　　　やせた

A＝B

Ed understood why the cat was there.
　　　理解する

A→B

It had been smelling the smell of the blueberry pie that was coming out from the pipe.
　　　　　においをかぐ　　　におい

A→B　that 以下は the smell of the pie の化粧文。

Ed looked down at the cat.

A⤺

The cat noticed some blueberry stains on Ed's pants.
　　　　　　　　　　　　　　　　染み

A→B

It started to lick the stain.
　　　　　　　なめる

A→B　to lick the stain が脇役。

Ed sighed and picked up the cat.
　　ため息をつく　　拾い上げる

and連結文（A⤺ and A→B）

It wiggled but stayed in Ed's hands.

but連結文（A⤴ but A⤴）

"You probably like my pie better than anyone."

A→B

Ed said.

A⤴

The cat purred.

A⤴

Ed smiled and took the cat inside.

and連結文（A⤴ and A→B）

The cat was a very small and thin cat, but Ed thought it would become a big and fat cat again after maybe five or ten blueberry pies.

but連結文（A＝B but A→B）　そろそろ最後なので、特別長い文です。二番目の文の脇役はまるまるひとつの長い文。この文自体を色分けするならこうなります。It will become a big and fat cat again after maybe five or ten blueberry pies. しかし、ここではあくまで全部でひとつの脇役。今まで that 以下の文が脇役として登場することが何度かありましたが、これは that が省略されている形です。Ed thought（that）it would〜。

And a new home.

（A→）B　本当のラストです。これは少し難しい。上記脇役の文、It

would become a big and fat cat again after maybe five or ten blueberry pies. の最後に and a new home と付いているはずのものを切り離して、最大限に強調しています。つまり、「5つか6つのブルーベリーパイと、新しい住み家で、すぐに大きな太った猫に戻る」ということです。

次の物語はちょっと怖いお話です。今までよりは英語も少し難しくなっています。あくまで基本形の応用に過ぎませんが、変わった形のものも、複雑なものもいくつか出てきます。もし分からなくなったら、思い切ってその部分をとばして読む勇気も忘れないで下さい。

THE RED BOOK : a horror story for beginners
by Teddy Mukoyama

Every town has a used bookstore. The store is always small, dark and old. It has many damp rooms and shelves. Most of the books are as old as the store. Some are older.

And in one dark corner of the store, there is an even darker and older shelf. There are not many books on that shelf. Most of them are old children's books that were sold to the store a long time ago. Books like *Robinson Crusoe, Alice in Wonderland, Robin Hood*, and *Black Beauty*. Children's books that were read by children who died a long time ago. Books that will probably never be read by anyone again.

On the bottom shelf, in the right corner, there is one book with no title. It has no author's name, either. Nor any publisher's name. The cover is red, and the book is very heavy. Even the store attendants have forgotten about this book. Nobody remembers that it exists.

The used bookstore in Everville was planning to close forever. On the store's last day, a man by the name of Timothy Brians came to the store. The store was holding a big discount sale. All books were 20% off. Brians was poor but he liked books. This was a good chance to buy some.

He had selected ten books when he found the red book. He picked it up carefully. He could not find a title. Brians thought maybe the cover had been torn and somebody had repaired it with red paper. But the red cover seemed like the original cover. Brians started to read the first page. It was a ghost story. A story of a woman ghost who lived in books. The writing was very strange. It was English, but it seemed wrong. Brians didn't know why. It just seemed wrong.

Brians almost put down the red book. But he could not. His curiosity wanted to know more. So Brians took the red book with him to the cashier. The attendant could not find a price, so he gave Brians the book for free.

That night, Brians started reading the red book. He sat in his favorite armchair in his apartment, with a can of beer and some peanuts. The time was a little after midnight.

The story was very scary. In fact, it was horrifying. It was written very well. Brians kept wondering who the author was. He wondered if the author had written other books, too. The book was about a young woman that was murdered while she was reading a book.

A red book.

She was killed with an axe when she turned the last page. She was also poor like Brians and she too, loved books.

Brians shivered. He was pretty scared now, but he kept reading.

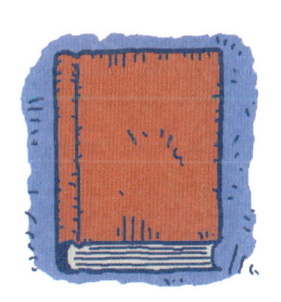

He could not stop. He wanted to know the ending of the story.

It was already three o'clock in the morning but Brians did not realize it. His mind was completely consumed by the story. He was reading page 127 when he suddenly thought he saw a face looking at him. He almost screamed.

Brians put down the book, and looked around the room. No one was there. He was alone. Alone with the red book. He shook his head.

Brians picked up the red book and looked around the room once more. But before he could read one word, he saw the face again.

A woman's face.

A woman was looking at him from behind the book. He stood up and dropped the book. Again, no one was there.

Brians was wet with sweat. He was very, very scared now. The woman had been smiling. He was sure about the smile. He did not want to read the book anymore. But he had to finish. He had to know the end of the story.

Brians picked up the book again. He was sweating very hard. He started reading again. Soon, from behind the book, the face appeared for a third time. But this time, the woman was closer. She was coming closer.

And she was holding an axe.

Brians wanted to stop desperately. He wanted to throw away the book or burn it. But he could not. Not until he found out the ending.

As Brians turned each page, the woman behind the book came closer.

There was only a few pages left. The woman was very close now. He could smell her. She smelled like old books. But if Brians put the book down, no one was ever there.

At last, Brians came to the last page of the book. He thought the woman was right beside him, but when he peered behind the book, the woman had already disappeared. Brians sighed. Maybe it was just his imagination after all.

Brians realized he was sleepy. He yawned and turned the last page.

The last page had only one sentence. Brians screamed when he read it.

"The woman is behind you, Brians."

解説

Every town has a used bookstore（古本屋）.

A→B

The store is always small, dark and old.

A＝B

It has many damp（湿った）**rooms and shelves**（本棚）.

A→B

Most of the books are as old as the store.

A＝B　as the store は old に付く化粧文。

Some are older.

A＝B　Some は Some of the books の略。

**And in one dark corner of the store,
there is an even darker and older shelf**.

A↩　　この文と次文の二つは珍しい形の文です。一つ目の文、冒頭の in one dark corner of the store は「場所」の付録なのでまずは除外します。残った there is an even darker and older shelf という文は、本来 an even darker and older shelf is there というのが正しい形です。there は「場所」の付録ですから、この文は A↩の文ということになります。ここではあえて主役と矢印の位置をひっくり返し、there を前に出してくることで、単純な「古くて暗い棚がそこにある」という説明口調ではなく、重々しい、物語的な「そこには暗くて古い棚があった」という言い回しを作

っています。

There are not many books on that shelf.

A↩ これも前文と同じです。本来は Not many books are there on that shelf. です。

Most of them are old children's books that were sold to the store a long time ago.

A＝B them は前文の books の代役。 that 以下は books に付く化粧文。

Books like *Robinson Crusoe, Alice in Wonderland, Robin Hood,* and *Black Beauty.*

(A＝)B この文と続く二つの文の合計三つの文はいずれもきちんとした文ではなく、前文のold children's booksを詳しく言い直したものです。つまり、これら三つの文はどれも丸ごと前文の脇役と入れ替えることができます。例えばこの文を脇役として入れてみると、Most of them are books like *Robinson Crusoe, Alice in Wonderland, Robin Hood,* and *Black Beauty.*となります。一文では言い切れないほどの内容だったために、三つの文に分けてあるわけです。

Children's books that were read by children who died a long time ago.

(A＝)B that 以下は books に付く化粧文。

Books that will probably never be read by anyone again.

(A＝)B 同じく that 以下は books に付く化粧文。

On the bottom shelf, in the right corner, there is one book with no title.

A⤴ 再び there がひっくり返っています。with no title は book に付く化粧文。

It has no author's name, either.

A→B It は「book with no title」の代役。

orの否定形　　出版社
Nor any publisher's name.

(**A→**)**B** Big Fat Cat の物語にも出てきたorの否定「nor（どちらも〜ない）」です。本来は前文の後ろの方に付いて、It has no author's name nor any publisher's name. になるはずです。

The cover is red, and the book is very heavy.

and連結文（**A＝B** and **A＝B**）

従業員
Even the store attendants have forgotten about this book.

A→B

存在する
Nobody remembers that it exists.

A→B that 以下まるまる一文（that it exists）が脇役。

計画する
The used bookstore in Everville was planning to close forever.

A→B Everville は町の名前。

第十一章 ● 物語を読む

On the store's last day, a man by the name of Timothy Brians came to the store.

A↩

The store was holding a big discount sale.
（安売り）

A→B　バーゲンや安売りなどの催し物を「開催する」という時には「hold」が使われます。

All books were 20% off.

A＝B

Brians was poor but he liked books.
（貧乏な）

but連結文（A＝B but A→B）

This was a good chance to buy some.

A＝B　This は「discount sale」の代役。「to buy some」は chance の化粧文。

He had selected ten books when he found the red book.
（選ぶ）

A→B

He picked it up carefully.
pick up＝拾う

A→B　it は「red book」の代役。本来は He picked up the book carefully.

He could not find a title.

A→B

125

Brians thought maybe the cover had been torn and somebody had repaired it with red paper.

A→B　maybe 以下長い and連結文（A→ and A→B）が脇役になっています。脇役の文を色分けするとこうなります。 The cover had been torn and somebody had repaired it with red paper. この一文を Brians は thought したのです。

But the red cover seemed like the original cover.

A＝B

Brians started to read the first page.

A→B

It was a ghost story.

A＝B

A story of a woman ghost who lived in books.

（**A＝**）**B**　この文は例によって、前文の story を詳しく言い直しているだけの不完全な文。who 以下は ghost の化粧文。

The writing was very strange.

A＝B

It was English, but it seemed wrong.

but連結文（A＝B but A＝B）　seemed wrong は「間違いに見えた」と訳すよりは「何かおかしかった」という意味合いが強い。

第十一章 ● 物語を読む

Brians didn't know why.

A→B

It just seemed wrong.

A=B

Brians almost put down the red book.

A→B

But he could not.

A→(B)　He could not put down the red book. の put down 以下が省略されています。

His curiosity(好奇心) wanted to know more.

A→B　ここでの主役は Brians ではなく、彼の「好奇心」。

So Brians took the red book with him to the cashier(レジ).

A→B

**The attendant could not find a price(値段),
so he gave Brians the book for free(無料で).**

so連結文（A→B so A→B／B'）　二つ目の文はカスタムアレンジ「A→B／B'」の形。he（attendant）から延びている矢印 gave はブライアンズにも（ブライアンズにあげた）本にも（本をあげた）向かっています。

That night, Brians started reading the red book.

A→B　～ing 以下で「～すること」。

He sat in his favorite armchair in his apartment, with a can of beer and some peanuts.

A↩　大事なのは He sat だけで、その後は「場所」と「どのように」の長い付録が付いています。

The time was a little after midnight.

A＝B　It was a little after midnight. でも可。前述の通り「時間」と「天気」の場合は代役としてではなく、ふつうに it を主役に使えます。

The story was very scary.

A＝B

In fact, it was horrifying.

A＝B　it は前文の story の代役。

It was written very well.

A↩　同じく It は story の代役。

Brians kept wondering who the author was.

A→B　矢印が kept。who 以下は wondering の化粧文。

He wondered if the author had written other books, too.

A→B　if で始まるフレーズは「〜かどうか」。ここでは「この作者がほかにも本を書いていたかどうか」と Brians は wonder しています。

第十一章 ● 物語を読む

The book was about a young woman that was murdered while she was reading a book.

A＝B　that 以下は woman に付く化粧文。

A red book.

前文の a book を詳しく言い直しているだけの不完全な文。

She was killed with an axe（斧） when she turned the last page.

A↩

She was also poor like Brians and she too, loved books.

and連結文（A＝B and A→B）　二番めの文は本来 She loved books, too. ですが、最後を too で終わらせると文がよくありがちな形になり、「殺された女性もブライアンズと同じく本が好きだった」という恐怖がかすれてしまうために、too を内側に入れて、loved books の方を強調しています。

Brians shivered.（震える〈寒気がする〉）

A↩

He was pretty scared（かなり） now, but he kept reading.

but連結文（A＝B but A→B）　reading は〜ing で「〜すること」。

He could not stop.

A↩

He wanted to know the ending of the story.

A→B

It was already three o'clock in the morning but Brians did not realize it.

but連結文（A＝B but A→B）　例によって時間を表す文なので、主役の It は何の代役でもありません。最後の it は最初の文全体の代役、つまり「すでに午前三時であること」です。

His mind was 完璧に **completely** 注意を奪われる **consumed by the story.**

A↩　was consumed が矢印。

He was reading page 127 when he suddenly thought he saw a face looking at him.

A→B　when 以下は「自分を見つめている顔が突然見えたような気がした時」という「時間」の付録です。

He almost 叫ぶ **screamed.**

A↩

Brians 置く **put down the book, and looked around the room.**

and連結文（A→B and A↩）

No one was there.

A↩

He was alone.

A＝B

第十一章 ● 物語を読む

Alone with the red book.

(**A**＝)**B** 本来はこの文は前文に He was alone with the red book. とくっついているはずですが、やはり強調するために切り離されています。しかも alone という単語を一番印象づけたいので、わざわざ二度ダブらせています。

He shook his head.
振る

A→B

Brians picked up the red book and looked around the room once more.
もう一度

and連結文（**A→B** and **A↩**）

But before he could read one word, he saw the face again.

A→B

A woman's face.

(**A→**)**B** 再び不完全な文の登場です。前の文、the face を詳しく言い換えただけです。

A woman was looking at him from behind the book.

A↩ was looking が矢印。

He stood up and dropped the book.

and連結文（**A↩** and **A→B**）

Again, no one was there.

A↩

Brians was wet with sweat.

A＝B

He was very, very scared now.

A＝B

The woman had been smiling.

A↩

He was sure about the smile. (確信した)

A＝B

He did not want to read the book anymore.

A→B

But he had to finish.

A→(B)　　本来は He had to finish the book.

He had to know the end of the story.

A→B

Brians picked up the book again.

A→B

He was sweating very hard.

A↩

He started reading again.

A→B

Soon, from behind the book, the face appeared for a third time.
(現れる / 三回目)

A↩

But this time, the woman was closer.

A＝B

She was coming closer.

A＝B

And she was holding an axe.

A→B

Brians wanted to stop desperately.
(切実に)

A→B

He wanted to throw away the book or burn it.
(捨てる / 燃やす)

A→B　一見、or 連結文に見えますが、to 以下すべてが脇役です。

But he could not.

A→(B)　本来は He could not throw away the book or burn it.

Not until he found out the ending.
発見する

(**A**→**B**)　本来は前文の一部で「時間」の付録。But he could not (throw away the book or burn it) until he found out the ending.

As Brians turned each page,
the woman behind the book came closer.
めくる

A＝**B**

There was only a few pages left.

A↩　前に出てきたものと同じく、主役と矢印がひっくり返って、there が前に出ている文。left は pages の化粧品。

The woman was very close now.

A＝**B**

He could smell her.
においをかぐ

A→**B**

She smelled like old books.

A↩

But if Brians put the book down, no one was ever there.

A↩　　本書では紹介できませんでしたが、これも有名なカスタムアレンジである「もしも」の文です。前半 if で始まる部分が「もしも〜だったら」という「条件」で、その条件がクリアできれば後半部分が起きるという文です。ここでは条件が「ブライアンズが本を置くこと」。そうすると後半部分「そこには誰もいない」、というわけです。

第十一章 ● 物語を読む

At last, **Brians came** to the last page of the book.

A ↩

He thought the woman was right beside him,
but when he peered behind the book,
the woman had already **disappeared**.

but連結文（**A→B** but **A↩**）　後半の文は had disappeared が矢印。

Brians sighed.

A ↩

Maybe **it was** just his imagination after all.

A ＝ B

Brians realized he was sleepy.

A → B

He yawned and **turned** the last page.

and連結文（**A↩** and **A→B**）

The last page had only one sentence.

A → B

Brians screamed when he read it.

A ↩

"**The woman is** behind you, Brians."

A ↩

これで物語は一応おしまいですが、できればほかの本に進む前に、分からないところが完全になくなるまで、何度も読み返してみて下さい。一般的に新しい本をどんどん読むよりも、同じ本を何度も繰り返し深く読み込んだ方が成長は早いように思えます。

　この章の二つの物語の中には、英文のほとんどすべての要素が出てきています。何度も読み返して、頭の中を整理してから、次へ進むことを強くお勧めします。

多少間違ったけど、そこそこ読めたという方は
実践編(▶p.73)**をもう一周してから
第十二章**(▶p.139)**へ。**

さっぱり分からなかったという方は
もう一度第五章(▶p.43)**から復習を。**

だいたい読めたという方は
このままページをめくって下さい。

第十二章
特別な化粧品

　この本は英語の基本を学ぶ本ですが、ここから先の内容は、少し基本という領域をはみだした内容となっています。

　もしまだ前三章の「実践編」を終えていない場合は、混乱を招くおそれがありますので、先に進むことはお勧めしません。この章で取り扱う「特別な化粧品」と、次章で扱っている「接着剤」と呼んでいる言葉群は、どちらも文章の内容だけを理解するのなら、本来あまり重要ではありません。

翻訳不可能な単語

　例えば、この章で扱う単語である a と the を取り違えたからといって、訳す上でならそれほど大きな問題はありません。せいぜい、続く役者の強調の度合いが違ってくる程度の問題です。

A cat was sleeping on the floor.
The cat was sleeping on the floor.

　訳せば、基本的にどちらも「猫は床に寝ていた」という意味になります。あえて付けるとしたら、下の方には「その」を猫の前に付けるぐらいでしょう。

　しかし、英語を日本語として訳すのではなく、英語を英語として読みとっていく上では、この違いは致命的とも言えるニュアンスの違い

を生み出します。

　日本人が英語を読んだり聞いたりする上で、微妙なニュアンスが分からないと悩む大きな原因は、これら「特別な化粧品」と「接着剤」が含んでいる深い意味合いを、単純な日本語の一単語として訳そうとするためです。

**　この章と次章で扱っている単語はすべて、基本的に翻訳不可能な単語です。**

　ひとつの単語で、これらとまったく同じ内容を表現するものは、日本語には存在しません。したがって、**the** を「その」と訳したり、接着剤の **on** を「〜の上に」と訳すことがそもそも大きな間違いです。**a** は **a**、**the** は **the** という単語で理解する以外に方法がありません。強引に訳すなら「**a** 猫は床に寝ていた」とか「**the** 猫は床に寝ていた」と、まるで記号のようにそのまま付けるのが一番的確です。

　事実、この二つの章で扱う単語は、どれも単語というよりは記号に近い意味合いを持っています。日本語でこれに良く似た役割を持っているのは「々」という符号です。これは何か別の単語に付けることによって、その単語を繰り返させる効果がある文字ですが、単独では使用するのも訳すのも不可能です。名前さえ、一般には知られていません。

　これをもしアメリカ人が「複数形の **s**」として紹介したら、日本人は「うーん」とうなってしまうはずです。間違ってはいないのかもしれませんが、それだけの単語かというと甚だ疑問が残ります。「山をいくつも越えて」と「山々を越えて」では不思議と響きが違います。

　簡単な英語を普通に意味の上で読むことができるようになったら、さらに難しいものに進むよりも、むしろ簡単な英文をこういう奥深いニュアンスまで読みとるために読み返す方が、上達は早くなると思います。そのためにも、これらの「単独であまり意味を持たない単語群」はとても重要になってきます。

スポットライトの中

それでは、まずこの章では「特別な化粧品」である **a**（続く単語の頭文字の発音が母音の時は **an** になる）と **the** について見ていきましょう。

これらはとかく日本の英語教育では、単に「役者」についてくるおまけのようなものだと解釈されがちです。一種の枕詞のようなもので、ドアを開ける前のノックのように、儀礼的な意味合いしかないものだと考えられています。

例えば **the table** という二つの単語の組み合わせを考えると、日本の英語教育では **table** が重要で、**the** は付けないといけないので仕方なく付けている付属品のようなものだと考えられています。しかし、むしろここでの深い意味はテーブルよりも **the** の方にあります。

これまでも説明したとおり、英語は基本的に重要な順番で並べる傾向があります。例えば付録でも、強調したい場合は文の前に出してきたりするのがよい例です。とすれば、前にある **the** の方が後ろの役者よりも何か強い意味を持っていたとしても不思議はないわけです。

a と **the** の使い分けに関しては、実はそれだけで本が何冊も書けるほどややこしいものです。一般のアメリカ人でも、明確にその違いを説明できる人というのは、言語学をいくらか学んだ経験のある人ぐらいでしょう。ほとんどの人は、今までの経験で身に付けた勘のようなもので、使い分けを行っています。

英語を読むことを第一の目標としているこの本では、あえて詳細な説明を省略します。読む上では、正確な使い分けよりも、出てきた際にその単語を正確に「イメージ」として受け取ることが大事ですので、**a** と **the** のおおまかなイメージを説明していきたいと思います。

よく **a** は「初出」の単語に付けて、**the** は「既出」の単語に付けると教えられていますが、これはなるべく簡略化しようとした末の苦しい説明と言えます。**a** と **the** はむしろスポットライトのようなものです。

a と **the** を単語に付けるというのは、その単語にスポットライトをどう当てるかによく似ています。もし **a** を絵で表現するならこういうスポットライトです。

これに対して **the** の方はこういうスポットライトになります。

a の方は群衆の中からひとつの物体や生き物を照らし出すような感覚ですが、同時にたったひとつのものだけが孤立し、ぽつんと暗闇の中に置かれているイメージがあります。ある種の寂しさをともなう単語です。

対して **the** は下からたくさんのスポットライトが一つの物体や生き物を華やかに照らし出し、周りにはそれを見て拍手をしている観客がたくさんいるような感覚を持っています。ファンファーレが鳴って「**the** の登場でーす！」という感じの華やかさを持っていて、孤立感の強い **a** と決定的に異なっていると言えるでしょう。

同じ一個体を照らし出すといっても、まったく違う照らし出し方です。

第十二章 ● 特別な化粧品

a はひとりぼっちのマッチ売りの少女が、雪の中でマッチをつけている時に、上からスポットライトが照らし出している感じであるのに対して、**the** は007シリーズの冒頭でスポットライトの中に颯爽と登場するジェームズ・ボンドのような感じと言えるでしょう。

映画のタイトルで考えてみると：

A Small Town

と

The Small Town

という二つの映画があるとすれば、二つとも訳は「小さな町」になってしまいますが、アメリカ人がタイトルだけから判断すると、上の作品は「牧歌的な小さな田舎町で起こる人間模様を描いた純文学系の作品」に感じられますが、下は「どこか隔離された町で起こる恐怖の物語」のような感じを思い起こさせます。ポスターを仮に作ってみると、こんな感じになりそうです。

このように、**a** と **the** はそれだけで単語や文章のイメージまでも一変させてしまう効果を持ったもので、英文の中でも実はもっとも強力な単語と言えます。**a** と **the** を上手に使い分けるだけで、実にいろいろな微妙なニュアンスを表現することができます。

もし女性から **You're just a man.** と言われれば、「あなたはなんでもない人です」という意味になりますが、**You're just the man.** と言

143

われれば一転、「あなたしかいない」という意味に早変わりします。致命的なほどのこの違いが、ただ **a** と **the** の違いによってもたらされています。だからこそ **a** や **the** はただの飾り言葉ではなく、役者の「特別な化粧品」であり、決して訳すことのできない不思議な英語独特の単語なのです。

この章のまとめ

・微妙なニュアンスを表現するために、**a** と **the** のイメージをつかもう。
・**a** はぽつんとしたスポットライト。**the** は華やかなスポットライト。

第十三章

接着剤

接着剤の役割

「特別な化粧品」と並んで英語でもっとも深い意味を持つ単語群が、**at** や **in** や **on** など、この本の中で「接着剤」と呼んでいるものたちです。「接着剤」と名づけたゆえんは文字通り、役者を中心としたひとかたまりの語群の頭について、前の語群と「接着」するからです。

どの「接着剤」も必ずあとに続く役者とペアになっていて、その役者と接着して初めて意味を持つことができる言葉です。

接着剤が接着すると、役者の役割を微妙に変え、本来役者だけでは出ない深さを単語に加えます。この点がただ役者に細かい説明を加えるだけの「化粧品」とは違い、根本的に単語の意味そのものを変えてしまう大変影響力の強い単語です。

そして、接着剤は接着する役者によって毎回役割も微妙に変わるので、「特別な化粧品」と同じく、訳すのは極めて難しいものです。

学校教育で英語を習ったことのある人なら、「でも、訳せるじゃないか」と思うかも知れません。事実、学校ではある程度訳して教えています。例えば **on** という単語の意味を日本の学生に聞いてみたなら、おそらく百パーセントに近い確率で「‥〜の上に」と訳すはずです。それはおそらく、最初に **on** を習った時の文章が **on the table** のようなものだったからでしょう。

しかし、もし **on** が本当に「〜の上に」なら、なぜ電気のスイッチの「点灯」が **ON** になっているのでしょう？　いったいあれは「何の上に」あるのでしょう？

コースターの上にコップを乗っけたら、これは確かに **on** で「〜の上に」にあてはまります。しかし、そのコップの底が濡れていて、コップを持ち上げたらコースターもくっついて持ち上がった場合、今度はコースターがコップに「**on**」していると英語では表現されます。しかし、くっついているのは下側です。何の上にも乗っていません。

　また、コンピューターで原稿を打つことを「**write on the computer**」と英語では表現します。もし、「〜の上に」と訳すなら、まるで人間がコンピューターに腰かけて何かを書いているようです。

　実は **on** というのは「〜の上に」という意味の言葉ではありません。前にも書いたとおり、確かな訳をするのは不可能なのですが、より近いものを選ぶなら「接触している」という訳の方が適切です。**on the table** は「テーブルに接触している」、電気のスイッチは「電気機器の端子が接触している状態」、コースターもコップに接触しているし、人間はコンピューターに接触して文章を打っている、というわけです。

　多くの人が **on** を「〜の上に」と、「上に接触している」というイメージを持っているのは、単純に地球上に重力があるからで、重力のせいで、たいてい「接触している」場合は上から接触していることが多いからです。

　ただ、この「接触している」という訳語も実際には **on** の持つニュアンスを完全には表現していません。より正確に **on** を表現しようとすれば、例をたくさん挙げるか、万国共通の言語である「イメージ」をもってしか表現することができません。

　例えば **on time** という表現があります。これは「時間通りに」という意味ですが、一見何にも「接触」していないように思えます。しかし、時間というのは人間の思考の中では「現在」という時間が「未来」へ向けて進み続けている状態で、その絶えず進んでいる「現在」に接触している──**on time**──と書いて、「時間通り」だという表現として使っています。このようなイメージを **on time** は伴っていて、英語圏の

人々の時間に対する感覚が用法からよく伝わってきます。これが文の持つ「ニュアンス」の部分です。

この本の最後の章として、これら「接着剤」のうち、もっとも頻繁に用いられ、もっとも意味が漠然としているものについて、可能な限り一枚の絵でイメージを表現してみました。

本書の最後には全部を一枚のしおりにまとめたものも用意しましたので、よければ読書の際に活用してみて下さい。「文の仕組み」を知れば、文を理解する手伝いになります。そして、「接着剤」を理解すれば、英語を読み解く「武器」となります。

日本人がもっとも苦手としている英語の要素が、この「接着剤」と前章の「特別な化粧品」の二項目です。もし英語に自信がなければ、手っ取り早く自信を得るために、逆にこの二つを徹底的に研究してみることです。この二つの項目に関しては、大学の先生でも学術論文で頻繁に間違えるほどです。ある程度自信を持って使えるようになれば、誰にも負けない強い武器となることでしょう。

それでは具体的に「接着剤」をひとつずつ見ていきましょう。各接着剤はそれぞれ「時間」「場所」「その他」の三つに区分されています。▶ がついていた場合、その接着剤と密接な関係のある別の接着剤を一緒に参照して下さいという意味です。

接着剤はこの他にも **above**、**below**、**under**、**through**、**beside**、**beneath** など様々なものがありますが、複数の意味を持つややこしいものは主にこれから紹介する七つです。この七つ以外は普通の単語と同じように憶えてもそれほど差し支えありません。

in
out

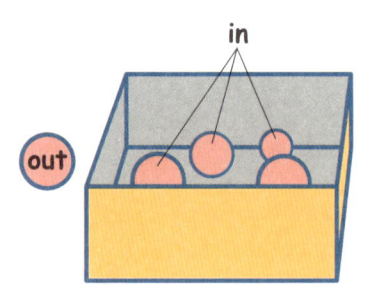

『内包』の接着剤。ある一定の外枠を定め、その中にあるものを **in**、その中にないものを **out** とする接着剤。外枠が何であるかを見抜けば、意味はすぐに分かる。上の図では外枠が箱。比較的静止している印象のある静かな接着剤。

時間

Ed's bakery will open in August.

【in August】▶of
例文では来るべき「8月」が外枠で、その中のどこかで「開店する」ということ。

【in the morning】▶at night
ここでのmorningは「午前中」という意味で、「朝になった瞬間」ではない。その場合は外枠がないのでatになる。

【in time】▶on/at
訳すると「いずれ」。「ある一定の時間」という外枠を仮定して、その中でやると書いて、転じて「いずれ」。

場所

The cat is in the train.

【in Kyoto】▶on/at/to/by/of
外枠が京都の町で、京都市内にいる場合。

【in the house】▶on/to
inだと普通に家の中。それではon the houseだと家のどこにいることに？

【in the train】▶on/at/of
外枠は列車。でも、on the trainもやはり列車に乗っていることを意味する。さて、この二つ、どう違う？答えはonを。

その他

Ed is looking in the window.

【in pain】
「pain（苦痛）」の中にいることを示す。転じて「痛い」。

【in a coat】
「コートを着ている」ということだが、ただ「wear a coat」とするより、コートを外枠としてとらえることによって、より「コートに守られている」印象を強調している。

【in the window】▶at
外枠は窓。その「中」を見ると言うことは窓の内側を見ると言うこと。それではat the windowは？

on
off

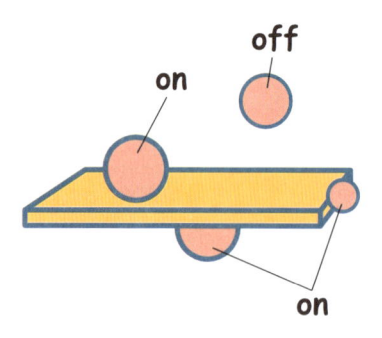

『接触』の接着剤。ある一定の基盤や基準を定め、そのどこかに接触し続けているものを **on**、接触していないものを **off** とする接着剤。上の図では基盤が板。くっついている玉は全て **on**。比較的動的な印象のある活発な接着剤。動いているものに「乗っている」という印象がある。

時間

Ed's bakery is open on Sunday.

【on Sunday】
曜日には慣例で**on**を用いることが多い。日曜日に接触している時は開いていると考えると分かりやすい。

【on a beautiful day】
「美しい日に」。**beautiful day**という特別な日に「接触している」間、つまりその一日中のことを示す。特定の日は**on**を用いることが多い。

【on time】 ▶in/at
「その時間」に「接触する」と書いて、「時間通り」。

場所

The cat is on the train.

【on Kyoto】 ▶in/at/to/by/of
「京都について」。さすがに京都全体に接触したり、乗ったりはできないので、精神的に京都に「接触している」ことを示す。**books on Kyoto**というと「京都についての本」。

【on the house】 ▶in/at
家の外壁か屋根のどこかにくっついている状態。

【on the train】 ▶in/at/of
in the trainとの最大の違いは、こっちは列車が動いていること。つまり**on**だと列車が動いても「接触し続ける」ので、一緒に猫も動き、列車に「乗っている」ことになる。

その他

Ed is on medication.

【on medication】
薬に「接触している」と書いて「服薬中」。

【on a vacation】
「旅行中」。**vacation**（旅行）という時間に「接触している」、もしくは**vacation**という乗り物に乗って旅をしているとも考えられる。いずれにしても、**vacation**に「接触」している状態。

at

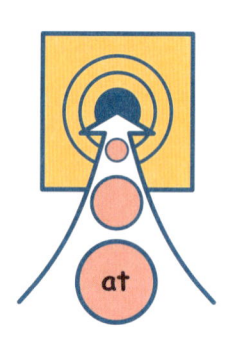

『標的』の接着剤。ある一定の範囲の中で特定の点を狙って、ピンポイントで攻撃するような感覚の接着剤。**to** が漠然と向きを説明しているのに対して、**at** はより場所を絞り込む。大体の場合、主体の積極的な意思が込められているのも特徴。

時間

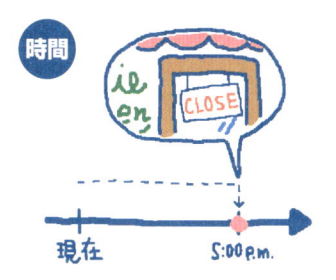

Ed's bakery will close at 5:00 p.m..

【at 5:00 p.m.】 ▶to
5:00という一点に絞り込んでいるのでat。分単位の時間の場合はatが付くことが多い。

【at night】 ▶in the morning
morningがinに対して、nightがatなのは夜間は活動せずに寝るため、夜は「一瞬」と考えられるから。夜、動き回る場合はin the nightもあり得る。

【at the time】 ▶on/at
theは既出の「ある特定の時」に付く。(第十二章参照) ここでは「あの時」という意味になる。

その他

Ed is looking at the window.

【at once】
onceは一回。「一回で」と書いて、「すぐに」という慣用表現。

場所

Ed threw a pie at the cat.

【at Kyoto】 ▶in/on/to/by/of
inと違うのは、京都が日本の中の一点として、とても小さな範囲と捉えられていること。「京都で首脳会議が開かれる」などのような場合に使う。

【at the cat】 ▶of
猫という小さな対象に向かってパイを投げたエド。結果的にはat the houseに……。

【at the train】 ▶in/on/of
ここでもtrainは乗り物としてではなく、あるひとつの標的として扱われている。「列車に向かってサイレンを鳴らした」などの場合に用いる。

【at the window】 ▶in
in the windowは窓の向こうを見るという意味だったが、atは窓そのものが対象なので、例文ではエドは窓自体を見ている。

to

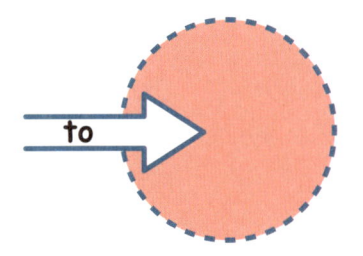

『目標』の接着剤。ある一定の範囲を定め、概ねその方向を目標として進む場合に用いる。比較的漠然とした大きな動きを表現する接着剤。特殊な用法で登場した場合、小さな右向きの矢印と解釈すると分かりやすい。

時間

**Ed's bakery is open
from 9 a.m. to 5 p.m..**

【from 9 a.m. to 5 p.m.】 ▶at
from～to～で、～から～までを指す。

【to eternity】 ▶forever
「永遠」というこれ以上漠然とできない「時間」へ向かうことで、「永久に」という意味を表現している。

場所

Ed is going to Kyoto.

【to Kyoto】 ▶in/on/at/by/of
京都全体を目指している場合は**to**。京都の一点を目指す場合は**at**で絞り込む。

【to the house】 ▶in/on/to
家を漠然と目標にしている。駅から家に向かっていることを漠然と知らせる場合に用いる。

【to the left】
「左方向へ」。左の一点に対してではなく、とにかく全体的に左に向かっていくことを指す。

その他

**To my suprise,
the cat jumped out.**

【to my suprise】
例文では「my suprise（私の驚き）」を目標に、猫が飛び出したということ。

【to play】
to＋矢印になる単語で「～すること」という役者になる。英文でよく登場する形なので、憶えておくと便利。

【look up to】
接着剤は普通、役者のすぐ手前に付くはずだが、矢印の一部になる場合、例外的に矢印の最後に付くことがある。どちら側についても読む上では大きな支障はない。本書では混乱を防ぐため、接着剤はすべて矢印から切り離して考えています。**look up to**～は「～を見上げる」の意。

by
with

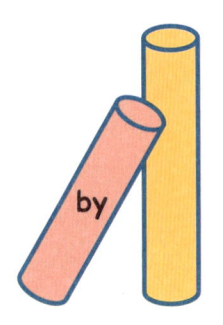

『依存』の接着剤。ある一定の揺るぎないものに依存している、もしくはよりかかって、それを頼りにしている状態。左図では黄色の棒にピンクの棒がよりかかっている。比較的固定された「状態」の説明に多く用いられる。

時間

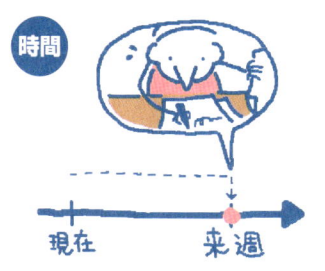

The papers are due by next week.

【by the next century】
「来世紀までに何かをやり遂げる」という「締め切り」の概念を指す。締め切りまでの残された「時間」に依存している。

【by next week】
例文では「来週」が書類の締め切り。エドは今週という残された「時間」に依存している。

【by the hour】
「一時間ごと」。例えばpaid by the hourというと、「時間給」を指す。「一時間」という単位に給料の制度が依存しているため。

その他

Ed and the cat go to town by bus.

【by bus】
on the busと違うのは、実際に乗っている状態が大切なのではなく、「乗り物」に依存する、として、その乗り物を通常利用していることが強調される。今、乗っていなくとも「普段バスを使っている」という時はby。バスに乗っている時に携帯電話で現在位置を説明する場合はon。

【by hand / with my hands】
両方とも「〜によって」という意味の

場所

The cat's house is by the shop.

【by Kyoto】 ▶in/on/at/to/of
地理上で京都に寄りかかるように存在している地域などを指す。比較するものが大きい（京都）ので、寄りかかるものも、町や村など相応の規模でないといけない。

【by the way】
直訳すれば「道の脇」。本道から反れること——転じて「ところで」という言い回しになる。

【by the shop】 ▶of
「京都」よりも規模は小さいが、この場合も物理的な地理について。

接着剤だが、byはより精神的な寄り添い方で、withはより物理的な接触を指す。by handというと「手作り」という概念だが、with my handsだと実際に手を使って何かを行うことを指す。

【by accident】
「事故によって」——転じて「偶然」。「これは事故のせいなんだ」と、出来事を偶然性に「依存」している。

of

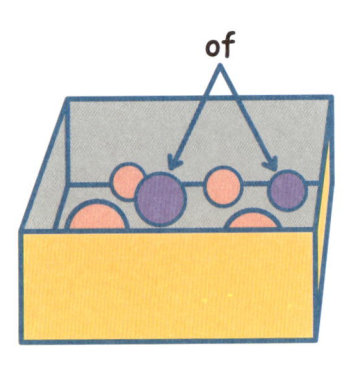

『所属』の接着剤。上記の図では箱の中の玉は全て **in**。この **in** のうちのいくつかをとって、それをまたひとつの固まり（上図では「紫色の玉」というグループ）として識別すると **of** になります。何か一定範囲のグループに「所属」していることを示す接着剤。

時間

**Ed's bakery is open
five days of the week.**

【of the week】 ▶for
一週間に**in**している曜日は全部で七つ。この場合はそのうちの五つをとって、**of**というひとまとめにしている。

【of August】 ▶in
例えば「**end of August**」だと「八月末」。八月も細分化すれば、いろんな部位に分けられる。

場所

**The cat likes to sleep
in the corner of the shop.**

【of Kyoto】 ▶in/on/at/to/by
外枠が京都の町。その一地域を指すとき。例：**center of Kyoto**（京都の中心地）

【of the shop】 ▶by
例文では猫は部屋の隅がお気に入り。「部屋の隅」は部屋という空間に「所属する」一地域。

【of the train】 ▶in/on/at
trainが外枠。**at the train**だと列車はただのひとかたまりの目標だが、**of**だと、**train**は様々な場所を持つ広い空間。

その他

**Ed is poor
because of the cat.**

【of the cat】 ▶at
「**because of〜**」で「〜のせいで」。例文では様々な要因の中で、「猫」のせい。

【cup of coffee】
たくさんの量の中から、ある単位で切り取ったものを「〜**of**〜」と表現する。上記ではコーヒーを「カップ一杯分」。

【of grapes / from grapes】
両方とも「原料が葡萄」という意味だが、**of**は「葡萄によって構成されている」という感覚。**from**は「葡萄から作られた」という感覚。**of**は「内容物」。**from**は「原材料」。

for

『譲渡』の接着剤。意志に反して「渡す」のではなく、「捧げた」という善意の心が働いている接着剤。for を見たら、誰か（何か）が誰か（何か）にプレゼントをあげるのを想像すると分かりやすい。「心のこもった」単語だといえるかもしれない。

時間

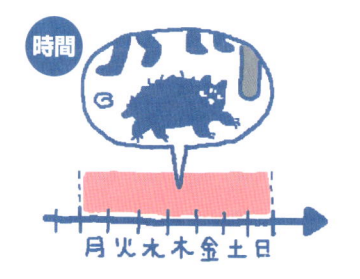

The cat was lost for a week.

【for a week】 ▶ of
例文では、猫が自分の一週間を「迷子」に捧げたという意味になる。

【forever】 ▶ to eternity
あまりにも頻繁に使われるため、くっついてしまっているが、元は for ever。「永遠」に捧げたと書いて「永久に」。**to eternity** との違いは、積極的に永遠に向かって行動している **to** に対して、今までも変わっていない、これからも変わらない普遍的な状況によく用いられる。

場所

Ed left the city for Everville.

【for Everville】
例文は「**Ed**は**Everville**に住むために都会を離れた。」「都会での生活」を「**Everville**」に捧げたので、**for**が使われている。**to**と違って、**for**は主体に肯定的な意思があるので、エドは好んで都会を離れたことになる。

その他

Ed is baking a pie for Ms. Anderson.

【for Ms. Anderson】
もっとも標準的な**for**の使い方。正に誰かへのプレゼントそのもの。

【for love】
for love というと、「〜を愛に捧げた」。例えば I did it for love. というと、「愛のためにやった」と言う意味になる。実際には愛している相手に捧げること。

【for the test】
「テストのために」。テストのために勉強すれば、その間の時間と努力は当然テストに「捧げた」ことになる。

【for nothing】
何かに捧げるはずが、その捧げる相手が**nothing**だったので、何も捧げずにすんだ。転じて「無料」の意。

おわりに

このあとは何をすればいいか

　ここまでこの本に付き合って下さって、ほんとうにありがとうございました。はじめての英語の本なので、お見苦しいところや、至らないところも多々あったかと思いますが、最後までせいいっぱい、できるだけ分かりやすく書いてきたつもりです。

　英語に詳しい方はすでにお気づきだと思いますが、その過程で、敢えて省略したり、極端な言い方にしてしまった箇所が随所に見受けられるかと思います。これははじめて、もしくは久しぶりに英語に接する方が混乱しないように、意図的に例外や少数派を排除し、英語の根幹となる部分だけを説明することによって、英語が「難しい」という印象を少しでも変えたかったためでした。

　そのため、英語に詳しい方には物足りないものになっていたり、不満の残る点もあるかと思いますが、今回は英語をやってみたいという方が「最初の一冊の本を読み始める」までの「準備運動」のつもりで書きましたので、このような書き

方になったことをご理解、ご了承していただけるようお願い申し上げます。

　それでは、今回この本で英語に興味を持って下さった方に、最後にひとことだけ付け加えて、お別れの挨拶に代えさせていただきます。

　言語は毎日変化しています。本当は確固たるルールなど存在しません。みんながおおむね従っている「傾向」があるというだけです。英語で読む時には、「こうでなければいけない」「ここはこう訳すんだ」と頭で固く決めつけず、楽しみながら、大ざっぱに言葉を感じ取って下さい。「こんな感じかな？」「こうならおもしろいな」と、想像力を膨らませて、言葉の向こうにある心を感じ取って下さい。

　心は目に見えないものです。人に見せることができません。だから、人間はそれを表現するために言葉を作りました。

　言葉には数学や理科と違って、正解はありません。間違いもありません。心が相手に伝われば、それが言葉です。この本に出てきたたくさんのルールは、ただ、それを少しでも簡単にしようとするためだけに作られたものです。

　どうかそれらがあなたの役に立ちますように。

向山淳子

難易度別お勧め書籍

この本を読み終わっても、具体的にどんな本から読み始めていいか分からないという方へ。

もちろん何から読み始めてもかまわないのですが、とりあえず読みやすく、インターネットで簡単に買うことができる本をいくつか、あらすじ、難易度と共に紹介しておきます。これらの本を選んだ基準は、読みやすさだけではありません。「本当におもしろい」本であることを基準としています。名作であるとか、内容が適切だとか、そういうことは無視して、本当に夢中で読めるおもしろい本だけを選びました。

挙げられている本は、ほとんどが俗にティーンノベルと呼ばれている英米の十代の読者に向けられた本ですが、どれも大人向けの小説と比べてもまったく遜色のない出来で、違いは文章が比較的簡単であることだけです。

英米では子供向けであっても、若者向けであっても、大人が読んで楽しめるものしか作りません。決して子供だましの作品などありません。ファンタジーとして世界的に有名な「指輪物語」や「ナルニア国ものがたり」が元々どれもティーンノベルであったことを考えれば、そのレベルの高さを理解してもらえると思います。

初級

Sesame Street Books

ビッグバードやグローバーなど、おなじみのセサミストリートのキャラクターたちが大活躍する絵本。絵本の中から読者に向かって語りかけてくる構成と、読者自身が参加する形で展開する意外なオチは、どの作品も秀逸です。口語体や独特の言い回しが登場しますが、難しいものではありません。特にテレビで彼らの口癖になじんでいる方なら違和感なく読めるはずです。

Dr. Seuss Books

日本ではそれほど有名ではないのですが、アメリカでは昔から大変にファンの多いシリーズです。基本的にナンセンスをモチーフに描かれた絵本なのですが、その独特の絵とノリが愉快です。

Creepy Susie and 13 Other Tragic Tales for Troubled Children

by Angus Oblong

これは一応、児童文学、それもかなり幼い子供に向けて書かれた体裁を取っていますが、間違っても幼い子供に読ませてはいけないような本です。大変可愛い絵と、簡単な文章で淡々と綴られていく物語は、どれも想像を絶するほど恐ろしい内容をさらりと書いたものです。ブラックユーモアが好きで、刺激的な本が読みたい方にはお勧めですが、そのほかの方には少々毒が強いかもしれません。たまに聞いたこともない複雑な単語がぽつんと登場しますが、これは多くのネイティヴも分からないものをわざと使っているので、分からなくても心配ありません。文章自体は大変簡単です。

ステップアップ ★★

Encyclopedia Brown Series

by Donald J. Sobol

いわゆる「読者が解決するミステリー」の草分けであるこのシリーズは、アメリカの子供なら誰もが一度は夢中になったことのある有名な作品です。「百科事典」というあだ名が付くほど知識を詰め込んだ小学生リロイ・ブラウンが助手のサリーと共に、「アイダヴィルの町」で発生する難事件に取り組んでいきます。文章、謎解き、共にシンプルです。

How to Eat Fried Worms

by Thomas Rockwell

賭をした小学生の男の子が、一週間ミミズを食べ続けるハメになって

しまう異色のコメディー。とにかくおかしい。アメリカならではの物語で、アメリカの子供たちの様子が実に良く分かる本です。

中級 ★★★

Roald Dahl's books

　ロアルド・ダールは日本での知名度は今ひとつですが、英米ではもっとも有名な児童文学作家の一人です。ほのぼのしている反面、シビアな現実もきちんと描き、大人が読んでも心から感動する物語をたくさん書いています。代表作 ***Charlie and the Chocolate Factory*** をはじめ、名作多数。他に大人向けの作品もあります。

The Three Investigators Series
by Robert Arthur and others

　大人用の作品でも優れたミステリーを多く残した作家、ロバート・アーサーが作り出し、かのヒッチコック監督が毎回自ら推薦文を書いていた伝説のシリーズ。40以上に上る作品はどれもおもしろいのですが、特にアーサー自身が筆を執っている最初の11作がずば抜けて優れています（残念ながらアーサーは11作目を最後に他界してしまいました）。
　最近アーサー自らの書いた11作品が復刻されましたので、ミステリーファンにはお勧めです。子供用だと思ってかかったら、痛い目にあいますよ！

The Great Brain Series
by John D. Fitzgerald

　1900年代初頭のアメリカを舞台に、自らの頭脳のことを「Great Brain」と言ってはばからない、自信家でお金に目がない小学生トムが、次から次へと考え出す商売のアイディアが絶妙におもしろいシリーズ。まだファミコンはおろか、電話さえ満足にない時代の子供たちの文化が生き生きと描かれていて、とても楽しい作品です。

上級 ★★★★

Harry Potter Series

by J. K. Rowling

これはもう説明の必要もないほど有名な、現在大ヒット中のシリーズ。児童文学界の伝統に、現代的なテイストを加え、世界中の大人も子供も夢中にさせている作品です。優れた邦訳も発売中なので、原作と比べながら読んでみるのもいいかもしれません。

Animorphs Series

by K. A. Applegate

英米の小学生の熱狂的な支持を集めた、近年の児童文学の大ヒット作品。動物にモーフィングする力を持つ子供たちと宇宙人との壮絶な戦いを描いたSF作品です。つい最近刊行された54作目でシリーズは感動のクライマックスを迎えました。どちらかといえば男の子向け。

Where the Red Fern Grows

by William Rawls

英米の小学校などでよく推薦図書に選ばれる名作。2匹の猟犬を得た少年が大自然を舞台にたくましく育っていく姿を追った物語です。クライマックスの狩りの大会での盛り上がりは、まるで映画を観ているような大迫力。

The Chronicles of Narnia

by C. S. Lewis

言わずと知れた「ナルニア国ものがたり」。英米ではもう何十年も書店で定番の位置を守り続けている名作中の名作です。決して難しくはないので、英語に慣れてきたらぜひ挑戦してみて下さい。

comics by Neil Gaiman

　どうも字だけだと飽きてしまうという漫画世代の方は、アメリカのコミックスも試してみましょう。とかくアメコミというと、スーパーヒーローもののイメージが強いのですが、近年、文学作品にも見劣りしない優れたコミックスが続々登場しています。その先陣となった作家がニール・ゲイマン。彼の代表作であるダークファンタジーのシリーズ「サンドマン」はシェイクスピア的ともいえるイギリス文学独特の気品を備え、高い次元で展開する作品です。内容はかなり難しいのですが、英語自体はシンプルで完成度が高く、上級者が挑戦するには絶好の素材です。

Concrete (Series)

by Paul Chadwick

　これもコミックスのシリーズです。宇宙人によってコンクリートの体に閉じこめられてしまった哀れな文学青年が、無敵ではあるものの、極めて不自由な体で生きることの喜び、意味、悲しみを考えていく不思議な物語。このコミックスでしか味わえない独特の浮遊感に浸ってみて下さい。

　以上の本はどれも **amazon.co.jp**（**http://www.amazon.co.jp**）または米国 **amazon.com** （**http://www.amazon.com**）から、どなたでもインターネット経由で購入することができる本です。ほかにもたくさんの書籍を扱っているサイトですので、ぜひいろいろ見て回って下さい。

二、三回通して本書を読み終わり、
書いてあることはだいたい理解したという方は──
それでもあと一度、
あと一度だけ読み返してみて下さい。
きっとさらに新しい発見があると思います。
もう一度だけ第一章(▶p.13)**へ**。

それも終わったという方は
洋書店へ。

Good luck and happy reading!

この本だけでは語りきれなかった内容や、新しい例文、著者自らが答える質問板や本の内容を補足する様々な企画、そして、読者同士のコミュニケーションの場として、インターネット上に「**Big Fat Cat**」公式サイトをオープンする予定です。以下のアドレスにアクセスすれば、どなたでも入場することができます。よりいっそう英語について勉強したい方、どうぞお越し下さい！

http://www.studioetcetera.com/bigfatcat/
「The Official BIG FAT CAT Website」

[その他、本書関連のインターネットサイトたち]

Joe & Jodie's Kitchen（http://www.studioetcetera.com/staff/kitchen/）
著者、向山淳子の公式サイト。

MOBS & CO.（http://www.studioetcetera.com/staff/mobs/）
著者、向山貴彦の公式サイト。

tt-web（http://www.tt-web.info/）
イラストレーター、たかしまてつをの公式サイト。

Studio ET CETERA homepage（http://www.studioetcetera.com/）
スタジオエトセトラの公式サイト。

本書では少しでも英語を分かりやすく、新鮮に感じられるようにするため、敢えて既存の文法用語を用いずに、造語を多く用いています。この本を卒業して、さらに他の書籍で英語を勉強する際にはこれらの造語が一般の文法用語の何に当たるのかが問題になってくる可能性を考えて、一応本書中に登場するすべての造語と最も近い既存の文法用語を下に一覧にしておきました。参考までにご覧下さい。ただし、完全に互換性があるかといえば、必ずしもそうではなく、既存の文法では区分のない部分に名称を付けたものもありますので、ご注意下さい。

役者＝名詞

矢印＝(述語)動詞

付録＝副詞

化粧品＝形容詞

特別な化粧品＝冠詞

接着剤＝前置詞

基本形＝第3文型SVO

　なお、Aの箱とBの箱は広義では主語と目的語に当たりますが、本書では補語をBの箱に含めて考えていますので、厳密には違うものとお考え下さい。

　その他、既存の文法のルールとは異なりますが、形容詞が補語になる場合、それを修飾する副詞は補語の一部として扱ったり、助動詞は動詞の一部として処理したりしています。また、俗に熟語動詞と呼ばれる、動詞＋前置詞の組み合わせから成る単語は、本来セットで扱うのが標準になっていますが、本書中では切り離して扱われています。これらの処置も、英語を初心者により分かりやすくするため、あえて取り入れたものです。ご理解いただければ幸いです。

　この本は向山淳子の原案と原文をもとに、向山貴彦とスタジオエトセトラがアレンジを加え、読みやすくしたものです。

staff credits

原案・原文
向山淳子

演出・物語制作
向山貴彦(studio ET CETERA)

監修
向山義彦

イラスト・装丁
たかしまてつを

テクニカルアドバイザー
永野文香(studio ET CETERA)

文章監修
吉見知子(studio ET CETERA)

編集
石原正康(幻冬舎)
永島賞二(幻冬舎)
日野淳(幻冬舎)

DTP
清水由紀(Y2J)

ウェブデザイン
竹村洋司(studio ET CETERA)

ブックデザイン
幻冬舎デザイン室

制作
studio ET CETERA

special thanks to:
宮山香里　武田大作　向山貴子　佐藤祐子　梅光学院大学

〈著者紹介〉
向山淳子　1936年奈良県生まれ。慶應義塾大学卒業後、米国ベイラー大学大学院修士課程修了。英文学専攻。現在、梅光学院大学文学部教授として、多くの学生を海外留学に送り出している。
向山貴彦　1970年米国テキサス州生まれ。製作集団スタジオエトセトラを創設。デビュー作『童話物語』(小社刊)は、ハイ・ファンタジーの傑作として各紙誌から絶賛された。
たかしまてつを　1967年愛知県生まれ。フリーイラストレーターとして雑誌等で活躍。99年イタリアのボローニャ国際絵本原画展入選。

ビッグ・ファット・キャットの世界一簡単な英語の本
2001年12月20日　第1刷発行
2002年 1月25日　第8刷発行

著　者　向山淳子　向山貴彦　たかしまてつを
発行者　見城　徹

発行所　株式会社 幻冬舎
　　　　〒151-0051 東京都渋谷区千駄ヶ谷4-9-7

電話：03(5411)6211(編集)
　　　03(5411)6222(営業)
振替：00120-8-767643
印刷・製本所：株式会社 光邦

検印廃止

万一、落丁乱丁のある場合は送料当社負担でお取替致します。小社宛にお送り下さい。本書の一部あるいは全部を無断で複写複製することは、法律で認められた場合を除き、著作権の侵害となります。定価はカバーに表示してあります。

©ATSUKO MUKOYAMA, TAKAHIKO MUKOYAMA,
TETSUWO TAKASHIMA, GENTOSHA 2001
Printed in Japan
ISBN4-344-00140-0 C0095
幻冬舎ホームページアドレス　http://www.gentosha.co.jp/

この本に関するご意見・ご感想をメールでお寄せいただく場合は、
comment@gentosha.co.jpまで。

GENTOSHA

付録

切り取って、しおりとしてお使い下さい。

付録

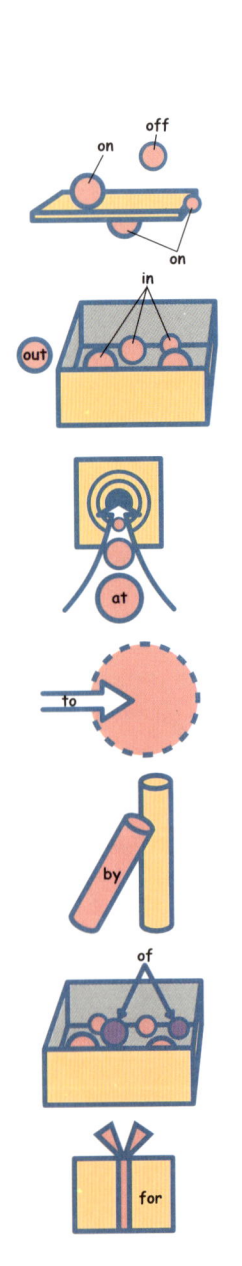

今度こそ大丈夫。